D0682696

LE DICTIONNAIRE DE VOS RÊVES

LES ÉDITIONS LE NORDAIS (livres) LTÉE
Une filiale de: Les Placements Le Nordais Ltée
100, ave Dresden
Ville Mont-Royal (Québec) H3P 2B6
Tél.: (514) 735-6361

Dépôts légaux, quatrième trimestre 1981:
Bibliothèque Nationale du Québec et
Bibliothèque Nationale du Canada

Jean-Louis Bernard

LE DICTIONNAIRE DE VOS RÊVES

Comment faire de vos rêves un véritable miroir magique de vos désirs et angoisses cachées.

AVANT-PROPOS

Le souci de tirer parti de nos songes n'est pas un souci neuf. Toutes les civilisations ont possédé une science onirique, tantôt savante et plus souvent populaire. Et la Bible s'en fait l'écho quand elle raconte et interprète la vision de Jacob et le rêve de Pharaon. On se souvient, par ailleurs, du rêve cauchemardesque que relate le grand Racine:

C'était pendant l'horreur d'une profonde nuit.
Ma mère Jezabel à mes yeux s'est montrée,
Comme au jour de sa mort pompeusement parée...

Curieusement, l'antiquité croyait que les dieux participaient aux affaires de l'Etat en inspirant aux hommes politiques des visions théâtrales, stimulantes ou déprimantes, selon les événements qu'elles préfiguraient et les conseil qui y étaient contenus. Avant de franchir le Rubicon, Jules César rêva qu'il commettait l'inceste avec sa propre mère. Par intuition, il élucida l'abominable énigme: il allait violer un tabou et devait agir ainsi; mais ce tabou était d'ordre politique; l'armée n'avait pas le droit de passer le Rubicon, c'est-à-dire d'entrer à Rome. En transcendant le tabou, César violait en somme sa mère symbolique - Rome.

Aux yeux des Egyptiens et des Grecs, les dieux participaient aussi, exceptionnellement, au traitement des maladies nerveuses, surtout Esculape (l'Im'hotep égyptien). Pour cette raison, certains malades étaient admis à dormir dans le temple. Au réveil, des prêtres écouteraient attentivement le récit du rêve ou du cauchemar que le malade aurait peut-être vécu, mais sans jamais l'interpréter. Ils estimaient n'avoir pas le droit de s'interposer, la vie intérieure d'un être ne concernant que les dieux et lui-même!

En dehors des rêves exceptionnels — prophétiques (propres aux prêtres qui en tiraient l'oracle), politiques et thérapeutiques, on admettait comme nous que les rêves communs ne résultaient que des mouvements secrets de l'âme. Mais, exceptionnellement encore, une **télépathie** entre deux êtres, même très éloignés, pouvait provoquer chez l'un ou tous deux, croyait-on, un déclenchement d'images et de sons, en cours de sommeil ou de transe, et ce phénomène se compare aujourd'hui à une télévision sonore. La totalité des peuples anciens ont connu ces processus insolites que connaissent encore les noirs d'Afrique.

Toutefois, les grands maîtres de la science onirique ont été, sans conteste, les Egyptiens. Toujours soucieux de précision, ils estimaient que les rêves ne provenaient pas tous de la même zone de l'âme. Selon eux, les moins significatifs expriment la vie de l'**ombre,** notre âme instinctive, un peu animale et un peu démoniaque, qui, la nuit, s'occupe à démêler l'écheveau de nos soucis quotidiens, par le moyen de ces rêves compliqués à méandres, que l'on interprète malaisément. D'autres rêves, plus rares, sont des messages du **ka,** notre **double,** qui est notre moi profond et spiritualisé, assez semblable à l'ange gardien du christianisme. Le **ka** inspire des rêves toujours brefs, chargés de sens profond, qui surviennent plutôt au matin, quand l'ombre, fébrile par nature, s'est calmée et ne trouble plus la communication entre le double et le moi.

Cette théorie égyptienne, multi-millénaire, ne se recoupe pas avec les théories de la moderne psychanalyse. Mais les notions d'ombre et de double n'ont jamais cessé de s'imprimer dans la croyance populaire — pour la raison qu'elles correspondent à une vérité naturelle. La Chine expliquait de façon identique la phénoménologie du rêve, distinguant soigneusement ce qui provient de l'âme supérieure et de l'âme instinctive. A ce distingo, il conviendra d'ajouter que nombre de rêves sont inspirés par le corps lui-même, c'est-à-dire par la digestion, très intensive dans le sommeil, par l'état nerveux et par les mécanisme déficients.

* * *

Composer un dictionnaire interprétatif des songes est une façon de faire part à autrui de l'expérience acquise en ce domaine. C'est aussi apporter à la femme et à l'homme modernes un remède à leur solitude intérieure, à leur vague-à-l'âme. Déracinés par le cyclone d'une civilisation hallucinante qui les refoule d'eux-mêmes et les plonge dans la frénésie, nos contemporains n'ont plus guère de contact avec leur âme profonde. C'est pourquoi ils se sentent seuls parmi la foule, ce qui est peut-être un commencement d'état de mort, d'aliénation, au sens non médical du terme. En réalité, c'est par rapport à eux-mêmes qu'ils sont seuls!

Ce contact avec soi-même, nul être extérieur ne saurait d'ailleurs le donner vraiment. Et ce contact, source de joie et de santé, seules les voix de la nuit pourront le restituer. Mais il faut prendre la peine d'écouter leur langage imagé et de le comprendre. Le premier soin du lecteur sera donc d'enregistrer soigneusement les rêves de la nuit, **avant de se lever;** après, cela lui paraîtra difficile, car le cerveau nocturne ne coïncide pas tout à fait avec le cerveau diurne. Il ne devra jamais commencer sa journée sans avoir tenté une interprétation. Et cela pourra s'accomplir au bain, pendant le rasage ou dans le métro ou l'autobus. La première personne qu'il convient de rencontrer dans sa journée, c'est soi-même!

Les « clefs des songes », dictionnaires populaires, existèrent de tout temps. L'Egypte en posséda certainement. Mais c'est au début de notre ère, au second siècle, que parut le plus célèbre ouvrage du genre, dû à Artémidore d'Ephèse. Ce personnage tenta de vulgariser la science onirique des temples. Il n'y réussit pas toujours. Quand il affirme que rêver de vipère « nous prédit de l'argent et la fréquentation de femmes opulentes », on ne discerne pas le fil logique qui relie le symbole à son expression matérielle. D'autres remarques d'Artémidore sont en revanche pleines de sagacité: « La femme qui (en rêve), au lieu d'un enfant, mettra au monde quelque poisson, aura un enfant chétif et qui ne vivra point ». Autre remarque pertinente: « Celui qui se soulage bien à son aise en rêve et copieusement dans un lieu secret, ou encore dans le pot à pisser, sera délivré de ses soucis ou de ses maladies ».

Après lui, l'art de la « clef des songes » tombe au niveau de l'attrape-nigaud. Les colporteurs diffusent en campagne quantité de ces «clefs» qui n'ouvrent aucune porte, en même temps que des recettes de magie utilitaire, plus humoristiques qu'efficaces, qu'ils attribuaient généreusement au moine Maître Albert, savant en tout (même en magie), au moyen âge.

C'est avec l'Autrichien Freud que la science onirique, toujours latente dans le peuple, reprit ses lettres de noblesse, puis avec le Suisse Jung. Hélas! qui dit science ne tarde pas à dire aussi: thèse et antithèse... Les systèmes de Freud et de Jung ne se concilient pas. Le premier, basé sur l'instinct sexuel, néglige l'âme profonde, lumineuse; le second, basé sur les grands mythes de l'humanité, auxquels s'accroche encore notre âme profonde, perd souvent pied par rapport à la plate vérité de tous les jours.

Nous avons assez peu tenu compte de ces maîtres, pour deux raisons: leur « clef des songes » a été tirée de gens malades ou malsains — puisqu'ils étaient docteurs; d'autre part, si l'on juge de la valeur d'une école, c'est-à-dire d'un système de pensée, par les succès obtenus, on en juge aussi par les échecs. Freud a déclenché une singulière épidémie psychique qui multiplie les obsédés du sexe. Et Jung a engendré quantité de mythomanes, gens déphasés, ayant une vie intense, voire féerique, sur le plan du rêve nocturne, et... rien sur le plan diurne de la vie courante — au point que, chez eux, la nuit semble, en un sens, avoir remplacé le jour; leur destin d'homme ou de femme est raté.

Toutefois, à travers ces deux maîtres incontestés, nous avons pu ressaisir, au fil des ans, la trame d'une **école naïve** de l'art onirique, basée d'abord sur l'évidence et sur la modeste vérité naturelle, non spéculative. Paradoxalement, c'est la pratique de vingt-cinq années de tantrisme, le système de yoga le plus difficile à supporter, qui nous a sainement ramené vers la modestie — et aussi l'étude des hiéroglyphes égyptiens, dont la symbolique part des mêmes principes naturels que l'élaboration du rêve: naïve à la base, complexe dans sa profondeur.

Comment utiliser ce dictionnaire?

Le mieux est de l'ouvrir n'importe où. Le lecteur ne manquera pas de se rendre compte que chaque interprétation se relie à l'image par une logique que l'on peut qualifier d'évidente, d'enfantine ou de populaire. C'est le meilleur des fils conducteurs. De mot en mot, le lecteur s'imprégnera de cette méthodologie et ne tardera par à interpréter de lui-même les symboles qui ne sont pas dans le dictionnaire. Les mots en italique se retrouvent tous dans le dictionnaire.

Comment interpréter un rêve, sans se sentir débordé, au départ, par sa complexité?

Il faut en isoler l'élément central et se reporter au dictionnaire; puis on passera aux éléments accessoires. Un rêve est un mouvement autour d'un axe fixe, d'un symbole. Comprendre celui-ci, amènera à comprendre le dynamisme qui en découle.

Un symbole a-t-il la même valeur pour tous?

Certes, un symbole peut échapper aux lois générales, objectives, assez fluctuantes, du symbolisme naturel, qui font que chaque image signifie en gros la même chose, d'un être à l'autre. L'exception s'expliquera par le cas personnel. Pour être clair, nous citerons un exemple. Durant longtemps, le symbole du **cheval** fut de mauvais présage pour nous — et cela jusqu'au jour où nous en avons découvert le sens subjectif. Bien avant notre naissance, un cheval emballé avait causé la mort d'un grand-père. Le récit de l'accident, entendu durant la petite enfance, mais oublié depuis lors, imprégna tout de même notre inconscient. Quand, bien plus tard, nous le réentendîmes, le symbole du cheval perdit, dans nos rêves, son sens subjectif pour revêtir un sens objectif, valable pour tous. Quelque chose s'était dénoué.

Pourquoi rêvons-nous?

Depuis des millénaires, l'humanité a pensé que le rêve était essentiellement prémonitoire; il nous aide à prévoir et à accueillir avec résignation les événements qui sont la conséquence de causes, déjà existantes au moment où se projette le rêve. Il peut nous aider à les dévier ou à les atténuer.

Mais le rêve est aussi un miroir magique dans lequel se reflètent non seulement nos désirs et nos rêves, mais encore nos vies **parallèles;** car le sommeil, loin d'être un état de mort ou de néant, est au contraire un état de vie intense où les émotions paraissent plus profondes, souvent, et les pensées plus pénétrantes.

Nous avons ajouté au dictionnaire proprement dit un **glossaire technologique** où le lecteur retrouvera les termes-clef de la psychologie, tant moderne que traditionnelle.

J.-L. B.

A

ABEILLE

= l'allégresse dans le dynamisme (le miel est symbole de joie), la prospérité.

Si le rêve met l'accent sur la reine, il pourra y avoir référence à un certain type de femme, un peu fée, de bon conseil, rayonnante et portant chance. La ruche elle-même symbolisera la famille, la **maison,** le **village.** Une ruche renversée: catastrophe à prévoir, bouleversement dans la destinée, rupture avec les siens, changement de route, au sens propre et figuré.

ACCOUCHEMENT

= mettre au monde quelque chose, faire passer dans les actes un projet longuement mûri, conclure une négociation qui traînait.

= se renouveler soi-même (si l'« enfant » est de même sexe) ou provoquer un changement caractériel chez un proche; en somme, renaître ou faire renaître, entrer ou faire entrer dans un cycle de vie neuf.

Si l'« enfant » est mort ou caricatural: cancer qui se concrétise, mais dont on pourra pratiquer l'ablation — un cancer est de la chair supplémentaire, caricaturale, qu'il faut résorber ou trancher sous peine quelquefois de mort. S'il n'y a pas d'« enfant » du tout, comme à la suite d'une grossesse nerveuse: libération d'une névrose.

ALCOOL

= sens multiples: la détente, l'ivresse, l'inconscience, l'effort qui part en fumée, la prodigalité vaine.

Boire de l'alcool en rêve peut aussi être un symptôme d'alcoolisme.

En revanche, rêver que l'on boit en compagnie d'une femme annoncera l'ivresse érotique ou, au moins, l'exaltation amoureuse.

ALLUMETTE

= ce qui risque de « mettre le feu aux poudres »: le scandale, l'éclat de colère, la rupture sans préavis.

= la cause immédiate d'un **incendie,** c'est-à-dire de la destruction radicale de soi-même, de son prestige, de sa fortune.

Le lycéen qui rêve qu'il joue avec des allumettes à une époque où il est tenté par la drogue, est averti en ce sens. Le thème des allumettes hante aussi les nuits des femmes du genre « allumeuse »: elles jouent avec le feu qu'elles allument, au risque de s'y détruire, par exemple si l'amant riche rompt avec elles.

AMETHYSTE

= l'amour idéalisé jusqu'à l'altruisme, jusqu'à préférer les êtres en essence, c'est-à-dire dans leur âme plus que dans leur corps; la sublimisation de l'érotisme qui devient mysticisme.

L'améthyste, violette, combine le symbolisme du **rouge** et du **bleu.**

Voir **pierres précieuses.**

A N E

= symbole complexe, en général assez banal, mais dont l'alchimie faisait l'un de ses symboles.

= la placidité, la patience et le conseil de subir en silence les mauvais coups du sort.

= physiquement, comme pour le **cheval,** le dos ou la colonne vertébrale. A ce titre: symbole de maladie qui couve ou de vieillissement (l'âne = cheval dégénéré).

Immobile dans un champ = le trésor caché, par allusion à l'âne alchimique ou à l'âne du conte, faiseur de crottes d'or ou de pièces d'or. Donc le conseil: creuser, fouiller en un endroit qu'un autre symbole du même rêve précisera; ne pas vendre ce qu'on allait vendre; ou creuser en soi pour libérer un don latent.

ANNEAU

= l'alliance, le pacte consenti. Symbole bénéfique.

Rêver d'anneau: contracter un lien d'amour ou, plus rare, d'affaires. L'anneau d'or annoncera: amour stable car l'or symbolise le soleil, astre apparemment fixe; l'anneau d'argent: aventure érotique car l'argent symbolise la lune, astre errant et changeant. L'anneau brisé: rupture. L'anneau perdu: amour incertain ou non partagé. Chez l'obsédé, l'anneau est symbole vaginal.

ARAIGNEE

= le piège dont on ne se dégage pas ou malaisément, avec la lente usure des énergies vitales; l'usurier, le maître-chanteur.

Ce thème est tragique. Il obsède le sommeil des gens subtilement piégés, d'une façon directe (par exemple par la signature d'une reconnaissance de dettes) ou indirecte (les hommes en vue, compromis par les margoulins du « milieu »). La victime, harcelée par l'angoisse, sent fondre son potentiel vital, pendant que croît sa fébrilité.

= la séduction néfaste.

L'araignée, en ce cas, symbolisera la femme ou l'homme qui séduit intensément, au point d'envoûter sa victime et de l'obséder jour et nuit, sans jamais céder charnellement ou en n'y cédant qu'une seule fois (au début), parce que l'acte sexuel serait une libération, au moins temporaire, et que la fascination à sens unique cesserait. Comme l'araignée, de tels êtres négatifs se nourrissent de la vitalité de leurs victimes, en l'évaporant à leur profit, par la fascination.

Rêver d'araignée dénoncera un complot ou l'imposture d'une amitié.

ARBRE

= l'axe physiologique, c'est-à-dire la colonne vertébrale avec la moelle épinière et l'ensemble du système nerveux.

Chez les anciens peuples et dans les sociétés naturistes d'Afrique et d'Océanie, même sens, mais concernant l'humanité collective: son lien symbolique avec les profondeurs de la terre où plongent les racines de l'arbre, et avec le ciel, vers lequel se tendent les feuilles. Notre sapin de Noël perpétue ces croyances: l'arbre sacré de la famille!

Rêver d'arbre isolé est en rapport avec l'équilibre général, le physique et le psychique ne se dissociant jamais dans l'optique du rêve. L'arbre qui s'étiole: on couve une maladie ou une névrose; on est menacé par une grave préoccupation qui sera débilitante; vieillissement. L'arbre sans feuilles: le squelette; d'où l'importance des branches éventuellement cassées qui peuvent signifier le risque d'accident. L'arbre qui développe harmonieusement ses feuilles: un thème qui peuple le sommeil des pratiquants du yoga ou du judo et leur psychisme (ici, les feuilles) se développe comme prévu. Des feuilles malades ou rongées par des parasites: maladie de peau, les feuilles symbolisant cette fois le revêtement du corps; les parasites = les produits de beauté défectueux par abus de la chimie ou mauvais dosage. Planter un arbre: plusieurs sens parallèles; littéralement, engendrer, être enceinte, puisqu'il y a création d'un nouvel « axe physiologique »; acheter une maison, avec le conseil de ne pas hésiter; la maison est l'axe de la vie familiale; implanter dans le social un projet qui grandira à coup sûr. Rêver de bûcherons qui abattent un arbre mort: l'annonce du décès d'une personne très âgée, infirme ou malade; l'indication qu'un projet est mort-né ou non viable. Si l'arbre est encore vert: décès d'une personne en bonne santé; ou échec dans un projet pourtant viable. Voir aussi **forêt.**

ARGENT

= voir **monnaie, or.**

= le métal, dit lunaire, parce que son symbolisme se relie à la lune, elle-même symbole d'errance et de lumière illusoire, puisque réfléchie, signifie gloire transitoire, argent fébrile.

Rêver de bijoux d'argent annonce le succès, mais après bien des avatars et démarches, ou une gloire tributaire de voyages incessants, ou la gloire nocturne (cabarets); cette forme de gloire sera en tout cas en rapport avec un art secondaire et transitoire, simple reflet de l'art stable (solaire) et suivra les fluctuations de l'actualité: la finance, la politique de parti, la mode, la chanson, la littérature « dans le vent »... Rêver d'une maison pleine de bibelots en argent: posséder un salon qui attire les célébrités de ce signe « argent », ou y être admis; autre interprétation: la chance financière, le don d'attirer et retenir quelque peu l'argent errant, celui du succès ou de la spéculation. Rêver de monnaie d'argent: le signe extérieur d'une fortune non discrète, mondaine essentiellement, et d'un train de vie assez fébrile; ou le conseil de prendre des initiatives, des risques, car ce sera positif.

ARMOIRE

= la poitrine, parce que le linge courant y est rangé à la hauteur de la poitrine; les poumons.

L'expression populaire « une armoire à glace » désignant l'homme à forte poitrine, se rattache à ce symbolisme. Il arrive que les rêves dans lesquels figure l'armoire soient des cauchemars oppressifs, concernant les tuberculeux et les asthmatiques. L'image a alors jailli de la difficulté respiratoire ou du mauvais métabolisme pulmonaire. Le symbole peut être un avertissement, chez l'être qui se croit bien portant.

= le coeur, parce que l'armoire est compartimentée, un peu à la manière du coeur; par extension, l'affectivité.

= le « coeur de la famille », donc la famille elle-même, l'armoire renfermant le linge de corps et les costumes et robes de tous.

Ouvrir l'armoire en rêve, y découvrir un casier vide: départ d'un membre de la famille. Y trouver des effets en surplus: visite inopinée qui fera joie.

= son violon d'Ingres, c'est-à-dire son activité parallèle, très privée et s'adressant à son propre plaisir d'abord, car on range dans une armoire les instruments et papiers auxquels on attache de l'importance.

Rêver d'une armoire remplie d'objets hétéroclites se rapportera à cette interprétation. L'écrivain qui ouvre en rêve une telle armoire y découvrira des objets inattendus symbolisant la suite de son roman, encore non définie.

ASCENSEUR

= même sens, à peu près, que l'**escalier** dont il modernise le symbole.

ASILE

= au sens de refuge, voir **oasis.** Pour l'asile d'aliénés:

= l'enfer, en image moderne, l'asile étant le lieu en marge où les fous, apathiques ou tourmentés, figurent les ombres dolentes (car ils ne sont plus que l'ombre d'eux-mêmes) et les damnés.

Rêver que l'on entre à l'asile peut annoncer la mort: plus ordinairement, il ne s'agira que de la traversée d'un « purgatoire », d'une série d'épreuves, de tourments passionnels. Rêver que l'on en sort: le contraire — fin d'une névrose ou d'un procès, ce genre de conflit ayant pour effet d'exciter le côté bassement démoniaque des gens en cause.

= la **prison.**

ASSASSINER QUELQU'UN en REVE

= décharger son ressentiment sur une présence obsédante qui paralyse; se révolter contre elle.

Cette personne n'aura pas forcément, dans le rêve, les traits de l'ennemi vrai. Le mécanisme du **transfert** substituera à son image une silhouette étrangère qui, toutefois, présentera un genre de synonymie, par un ou plusieurs détails. Ce genre d'assassinat de théâtre est toujours libératoire. Le psychisme du rêveur se libère d'un « kyste » surréel, fait de mauvaise humeur, voire de haine concentrée, c'est-à-dire d'un venin qui pourrait éventuellement l'intoxiquer lui-même. Il se réveillera l'âme plus légère et il arrivera qu'il voie en moins noir sa « victime ».

= une fausse interprétation: nous porterions tous en nous un instinct meurtrier que nous assouvissons fictivement, en rêve. Ce n'est pas vrai. L'être sain n'a pas d'instincts de cet ordre.

= se révolter contre soi-même et, plus précisément, contre son **ombre.** Elle représente en effet tout ce qui, dans notre psychisme, nous alourdit et nous entrave: liens affectifs avec des personnes sorties de notre horizon, regrets, nostalgies, remords, pensées périmées...

AUTO

= la force mentale, concrète et non intuitive (la voiture est sans cerveau propre), mue par la vitesse acquise; la force mécanistique aux rouages précis, à l'initiative mesurée.

Voir en rêve une auto qui arrive de face: il y aura affrontement avec une personne ou un groupe, au cerveau conditionné ou minutieusement organisé, avec la machine judiciaire, par exemple. Si l'auto va de **gauche à droite:** l'initiative de l'action doit venir du dormeur lui-même; inversement: l'offensive sera subie, avec le risque d'être « écrasé », c'est-à-dire vaincu. Il est rare que la vision de l'accident de voiture supporte une interprétation directe, d'ordre prémonitoire, mais cela arrive, surtout chez la femme; il y aura alors une mise en garde. La couleur de la voiture aura son importance; **rouge:** violence, colère ou effusion de sang; **bleu:** conflit sentimental. Se voir, conduisant: disposer de l'initiative et de la pleine maîtrise de ses énergies, mentales, psychiques ou autres. Perdre le contrôle de sa voiture: risque d'accident réel ou, par analogie, d'accident nerveux ou mental. Aboutir dans une impasse ou un terrain vague: les calculs et initiatives ne mèneront qu'à l'absurde.

= l'annonce d'un meilleur standing ou d'une plus grande liberté de manoeuvre, si l'auto est neuve et de conduite aisée.

AUTOMNE

= rêver au sein d'un paysage automnal annonce la fin calme, agréable, quoique un peu mélancolique, d'un cycle de vie, d'une carrière, d'un amour.

Autre sens: on va récolter le fruit de longues années de travail, de démarches ou de recherches — car l'automne est essentiellement la saison des fruits.

Autre sens encore: la détente, la sagesse, la sortie de la mêlée, la tolérance, puisqu'en automne s'estompe l'agressivité de la nature. Voir les autres saisons.

AVIATEUR

= voir **marin.**

= l'homme (ou la femme) qui aidera le dormeur à s'évader des soucis qui le harcèlent.

AVION

= l'évasion, surtout morale. Voir **voler en rêve.**
Si l'avion est au sol: on ne se dégagera de ses soucis qu'après un retard.

B

BAGAGES

= nos biens et nos liens de toutes sortes, qui nous entravent comme font les bagages à main; les charges familiales, les amis encombrants, les animaux domestiques; parallèlement, en plus abstrait, nos idées, l'éducation reçue — qui nous suivent comme des bagages!

Perdre ses bagages en rêve: littéralement, l'annonce d'un vol, d'une escroquerie; par analogie, la perte soudaine de son cadre familier, par départ ou expulsion, la rupture sous une forme ou une autre avec son passé, ses habitudes. Dans les cas graves: amnésie. Rêver que l'on oublie ses bagages: se faire le complice, plus ou moins consciemment, d'une rupture. Découvrir à la consigne de gare des bagages qui ne sont pas les siens: liaison tout à fait inattendue, peut-être en cours de déplacement, ou changement d'orientation, de destinée, de mentalité, en fonction d'une métamorphose de sa propre personnalité; en d'autres termes, on ne se reconnaîtra pas soi-même (tout à fait comme on ne reconnaît pas les bagages du rêve), après ce changement intérieur. Découvrir à son nom des bagages inconnus: l'éveil en soi d'un don jamais encore révélé, d'une aptitude; ou don extérieur, cadeau, coup de chance.

BAIGNOIRE

= la matrice ou les enveloppes foetales.
Le rêve obsessionnel de la baignoire traduira, en ce cas, l'inadaptation à la vie dynamique et la nostalgie de la première enfance. Voir **seins.**

= le psychisme, doublant le corps, avec les métabolismes complexes qui s'effectuent de l'un à l'autre.

Rêver de baignoire vide (panne d'eau): déperdition d'énergie, manque de magnétisme; le remède: fréquenter des gens psychiquement forts, éviter les gens qui se sont surintellectualisés aux dépens de leur psychisme, atrophié, car ils « vampirisent » gentiment leur entourage, surtout féminin; est-ce un hasard, si l'étudiante, mentalement survoltée et toujours fébrile, fréquente volontiers des étudiants noirs, tous psychiquement surdéveloppés? Rêver de baignoire pleine, mais bouchée: sclérose; le dormeur n'évacue plus ses résidus psychiques; or, ceux-ci peuvent s'agglomérer en **névrose.** Le remède? S'épurer et se recharger. La promenade en forêt (les arbres ont un pouvoir absorbant), le bain de foule (mais d'une foule saine, populaire, non sclérosée), l'érotisme (il brûle les résidus psychiques)... Voir **salle de bain.**

= plus rarement, le **cercueil,** allusion à la cuve à momies.

Cette interprétation ne sera pas forcément de mauvais augure; elle pourra annoncer une crise mystique, un désir de retrait du monde, une sorte d'entrée en religion, une mort au monde profane...

BALCON

= symbolise le front humain ou les seins féminins — d'où une interprétation double. Toutefois, dans les deux cas, le symbole annonce un soulagement, une victoire.

Par son mental ou sa volonté (front), on va pouvoir dominer une situation confuse ou un souci, comme d'un balcon; ou, par le charme et la patience, on parviendra à un épanouissement érotique, la partenaire étant dominée, séduite (seins).

Chez l'homme ou la femme mal grandis, c'est-à-dire faux adultes, ce symbole traduira la nostalgie de la petite enfance douillette, en somme: du sein maternel.

BALLON

= physiologiquement, la grossesse.
Rare en ce sens, pour la raison que le ballon ne contient aucune vie.

= la fascination, par allusion à celle qu'exerce sur le public le ballon des équipes sportives.

= parfois, la naïveté trop loyale, à la manière des enfants: le jeu du ballon est essentiellement jeu d'enfants, et les joueurs adultes sont en culotte courte; leur loyauté, du reste, est aussi celle des enfants.

Rêver que l'on passe le ballon à quelqu'un, en cours de partie, ou inversement: transmission de document, vide de sens (le ballon est plein d'air) ou d'objet sans intérêt réel. Rêver que l'on suit un match sans y participer: l'annonce que l'on va être le témoin très passif d'une affaire passionnelle, d'un procès par exemple. Si l'on marque un but: succès dans une affaire en cours.

BANQUE

= la sécurité matérielle, les désirs comblés — puisque l'argent suit le mouvement des désirs et les comble éventuellement.

Rêver que l'on entre dans une banque, peut annoncer que l'on va être reçu prochainement dans un milieu d'argent ou de luxe; si l'on sort de la banque, sens inverse. Voir une devanture de banque brisée: cambriolage, perte d'argent, mauvaise spéculation ou perte d'un appui financier. Si le caissier est absent de son guichet ou s'il n'a pas d'argent: l'entreprise en cours n'aboutira pas ou pas encore; si des piles de journaux remplacent les liasses de billets: les négociations se réduiront à des entretiens courtois, sans plus. Si le directeur de la banque ou quelque fondé de pouvoir vient à la rencontre du rêveur: l'annonce d'une situation honorifique et bien rétribuée. Etre le témoin d'un hold-up: surprendre une escroquerie ou un abus de confiance. L'empêcher ou y participer en membre du gang, s'interprètera sans difficulté. Voir **monnaie.**

BAPTEME

= assister à un baptême, c'est être le témoin ou l'artisan d'une guérison, physiologique ou morale (en ce second cas, on se verra dans le rôle du parrain ou de la marraine).

Le rêve est à l'homme ce que
l'espérance est à la mort

Je ne peut desciplini mon esprit pour écrire

Aujourd'hui je n'ai que le rêve et l'oubli
de ce que je suis

Aux yeux des religions, le baptême symbolise, en effet, l'accès à une vie nouvelle, à une guérison spirituelle. En général, rêver de baptême concernera le dormeur lui-même: quelqu'un va l'aider à sortir d'une impasse, par un don ou un prêt, par exemple.

= l'adoption d'un enfant, le parrain et la marraine symbolisant des parents d'adoption.

= une conversion, c'est-à-dire une évolution brusque dans la mentalité.

BARQUE

= voir **bateau.**

BATEAU

= la détente, le repos, le sommeil réparateur.

Rêve de convalescent ou de personne qui récupère son énergie nerveuse, dispersée par le souci ou l'angoisse; en ces cas, le bateau voguera sur eau calme ou sur une mer en voie d'apaisement.

= le départ proche, peut-être imprévu, le voyage en perspective, avec dépaysement complet.

= la mort, si le bateau va vers le soleil couchant.

= l'inconscience, la passivité exagérée.

Si le bateau coule soudain, c'est qu'il y aura un retour brutal à la réalité. Cette inconscience peut aussi être l'avertissement d'un risque d'accident, avec évanouissement, voire coma.

BEBE

= le désir inconscient, pour un homme comme pour une femme, d'avoir un enfant.

= au figuré, une nouvelle naissance pour le rêveur, c'est-à-dire un changement complet de personnalité, avec la rupture des liens anciens.

Ce thème du bébé n'annonce pratiquement jamais la grossesse. Toujours symbolique, il se borne à exprimer une naissance en soi-même ou une renaissance, après période dépressive.

Si le rêveur voit le bébé endormi, c'est qu'il ne réalisera pas de si tôt la métamorphose qui s'accomplit en lui; mais il s'étonnera de l'attitude changeante de ses relations; ces gens sentiront par instinct qu'il n'est plus le même. Si le bébé hurle: la prise de conscience sera brutale, après un drame, par exemple une rupture, un divorce ou un décès. De telles épreuves le lanceront en effet dans la vie prosaïque, l'obligeant à se forger une personnalité en conséquence. Voir **oeuf, jumeaux.**

BIBLIOTHEQUE

= la mémoire dans sa diversité, la culture personnelle.

Rêver d'une bibliothèque poussiéreuse: culture surannée ou trop orientée vers l'érudition pure, donc obstacle à la vie réelle. Une bibliothèque contenant des livres tachés: culture polluante. Avec des livres en désordre, aux tomes dépareillés: culture mal centrée, sans fond, décousue. Des livres qui sont tous de même format et couleur: culture stéréotypée, collective et non personnelle, ou mal assimilée. Rechercher un livre, ne pas le trouver: trou de mémoire dont les conséquences pourraient devenir inquiétantes; il faudra, au réveil, repasser en soi le film de l'affaire en cours ou le programme de l'examen et découvrir l'élément négligé ou omis. Voir **livre.**

BICYCLETTE:

= voir **vélo.**

BIERE

= la détente joyeuse, l'ivresse légère.

= l'effervescence intérieure qui accompagne le désir érotique, l'ivresse amoureuse.

En Egypte, la bière était mêlée aux ébats amoureux et elle était censée réjouir le coeur de la déesse de l'érotisme, Bastît.

Rêver de bière versée sur la table: le conseil pour l'homme d'interrompre l'acte sexuel (risque de grossesse). Renverser la bouteille: il y aura obstacle à l'acte, du fait de la femme. Découvrir son verre vide: manque de moyens, au moment crucial, ou manque de spasme, chez la femme.

BIJOUX

= le charme, la séduction, la fascination; l'érotisme féminin sublimé; plus rarement, les pouvoirs paranormaux, bijoux invisibles qui confèrent charme et puissance, tels le don de suggestion, d'hypnotisme, de voyance...

La matière dont ils sont faits conditionne l'interprétation. Voir **or, argent.** De même, leur forme. Voir **anneau, boucles d'oreille, bracelet, collier, diadème, perles, pierres précieuses.** Voir encore **coffret à bijoux.**

BISTROT

= le carrefour social où l'on se détend et où l'on fait des rencontres inattendues.

Rêver de bar ou de bistrot: le désir ou le besoin de se dégager de sa propre ambiance et de l'isolement pour se retremper dans une ambiance collective; l'**alcool,** le **vin** et la **bière** que l'on y boit symbolisent l'évasion intérieure.

En sens négatif: si ce thème apparaît trop fréquemment, c'est que le rêveur ne mène d'existence qu'extérieure, qu'il manque de vie personnelle et n'existe encore que collectivement.

BLANC

= l'absorption des couleurs, leur neutralisation; par analogie, l'extinction de la vie ou la disparition de toute chaleur humaine; parfois, la mort.

En Chine, le deuil est blanc. Dans la rosace des couleurs, c'est-à-dire l'étoile à six branches qui porte, réparties sur trois pointes en triangle, les couleurs fondamentales (rouge, bleu, jaune) et, sur les pointes intercalées, les trois couleurs qui en dérivent par mélange (violet, vert, orangé), toutes les teintes s'éteignent, dès que l'on fait tourner la rosace autour de son pivot — pour se résorber dans le blanc. D'où l'association d'idées entre mort et blanc. C'est d'ailleurs en blanc spectral que l'imagination populaire voit les fantômes ou reflets des morts.

= la pureté froide des cimes enneigées; par analogie, le détachement des contingences terrestres qui est une forme philosophique de mort, celle du sage ou du grand malade, arraché vif à la vie quotidienne.

BLEU

= la couleur céleste, la pureté, le désintéressement, mais aussi l'absence de réalisme.

La Vierge de Lourdes est bleue; et l'oiseau bleu du conte est oiseau de paradis. Toutefois les rêves où prédomine le bleu ne seront pas forcément de bon augure. Ils pourront dénoncer, discrètement, la tendance, peut-être fâcheuse, de tout idéaliser et de se laisser mener par un optimisme à oeillères. Voir en rêve des lunettes bleues aura ce sens. La dame en bleu et l'homme en bleu sont des thèmes d'hommes et de femmes inhibés qui ont peur, inconsciemment, de leur sexualité; ce symbole dénonce un certain mysticisme qui n'englobe pas la vie tangible et ne traduit finalement qu'une peur de la vie, avec le souci de la fuir. Le bleu marque beaucoup les rêves de végétariens parce qu'il n'existe pas d'aliments bleus; or, ces végétariens sont obsédés par des problèmes, vrais ou faux, d'alimentation. Un personnage en bleu peut annoncer la mort d'un proche ou d'un ami, mais la « bonne mort », c'est-à-dire céleste, par le détachement total et l'apaisement.

BOEUF

= la douceur un peu béate.

= physiologiquement, l'affaiblissement de la virilité, parfois, la révélation de la stérilité masculine.

Ce thème hante les rêves de jeunes qui, à force de gaspiller leur vitalité avant maturité, surtout par la fébrilité, raccourcissent leur cycle naturel de vie et s'acheminent vers une sorte de sénilité précoce. La médecine décèle de nombreux cas de stérilité masculine parmi l'actuelle jeunesse. D'autres fois, le boeuf symbolisera le vieillard amical, peu efficace, mais dont la présence réchauffe quand même.

BOHEMIEN

= voir **forain** (le Bohémien en est un).

= l'homme fascinant ou, en plus abstrait, la fascination d'un univers étranger, ancien et mal connu — car les Bohémiens sont issus d'un tel univers.

Le symbole reste ambigu parce que ce genre de fascination peut à la longue se révéler décevant. Le cas, aujourd'hui, de l'hindouisme et de l'exotisme en général.

BOHEMIENNE

= l'annonce d'un tournant de la destinée, parce que les Bohémiennes sont spécialisées dans la chiromancie.

= voyage en perspective, mais au but un peu flou, parce que les Bohémiens sont errants. Même sens que **roulotte.**

= l'indication que la personne à laquelle on envisagerait de se lier est instable.

BOITEUX

= le messager, l'homme du destin, le hasard personnifié.

Dans le folklore européen, surtout gaulois, le dieu des voyageurs passait pour boîteux; pour cette raison, un célèbre almanach de Strasbourg porta le titre de « Messager boîteux ». Ce dieu gaulois LUG boîtait symboliquement parce qu'il avait un pied dans le monde réel des hommes et l'autre dans le monde surréel des dieux. S'il apparaissait au voyageur à quelque détour du chemin, c'était le signe d'un bouleversement dans la destinée. De là, vient aussi, par déformation du mythe, que les boîteux de village avaient réputation de sorciers. Et la symbolique du rêve qui plonge dans la mémoire ancestrale, récente et ancienne, retient de même cet aspect maléfique du boîteux, né de la superstition. Rêver de boîteux annoncera donc des événements imprévus, bénéfiques ou non.

BORGNE

= voir **oeil.**

BOSSU

= la fausse humilité (le bossu plie l'échine par force). En ce sens, rêver de bossu dénoncera l'hypocrisie de quelqu'un de son entourage ou indiquera la marche à suivre pour se garantir contre l'agressivité d'un proche: plier, mais en apparence seulement.

= la charge que l'on supporte injustement, au propre ou au figuré (une responsabilité, par exemple), comparable à l'inutile bosse de l'infirme.

En cet autre sens: le conseil de se décharger d'un fardeau qui n'apportera que déception ou ingratitude.

BOUCLES d'OREILLES

= voir **bijoux.**

= la réceptivité, par allusion à l'ouïe; l'intuition; la nature réelle des influences émanant du milieu, de l'entourage.

Rêver de boucles d'oreilles en matière synthétique: pas de personnalité originale, car émanée d'un milieu artificiel ou sans âme. En **or:** noblesse, qualité. En **argent:** instabilité, manque de « classe » authentique, pas de profondeur. Rêver que l'on a perdu une boucle d'oreille: selon son métal et sa **pierre précieuse,** la rupture que cette perte symbolise et prophétise sera un avantage ou un inconvénient. Boucle gauche: l'**âme** intérieure, l'affectif, la philosophie à laquelle on se rattache et la manière de vivre; boucle **droite**: le milieu extérieur, tangible, une relation précise.

BOUE

= voir aussi **étang.**

Rêver de boue annonce le scandale, la calomnie (on va « être traîné dans la boue ») ou des propositions qui terniront la réputation du rêveur. Mais la boue est aussi un engrais, ce qui veut dire qu'à la longue cette phase de vie négative, déprimante et dissolvante, tournera à l'avantage de l'intéressé, s'il sait, par la lutte ou la diplomatie, transmuer adroitement la boue en engrais, c'est-à-dire retourner l'opinion. En ce cas, il rêvera que le boue s'écoule, sèche et donne naissance à une floraison.

= la mort, la décomposition, au physique ou au figuré, avec la possibilité, en cas de mort de quelqu'un, d'hériter (si la boue fleurit!)

BOUGIE

= voir **cierge.**

BOUTIQUE

= l'originalité dans la recherche vestimentaire et dans toute autre recherche, le goût personnel.

= le conseil de s'orienter en ce sens.

Ce thème s'oppose à celui du **grand magasin.** Si la boutique est vieille, poussiéreuse, le rêve mettra l'accent sur une originalité surannée, concernant la tenue ou le caractère. S'il s'agit d'une boutique à la mode: tendance au snobisme. Une boutique dans un quartier mal famé: la découverte d'un objet ou papier précieux dans des vieilleries, ou l'élégance de mauvais aloi, quant aux ressources qui l'étayent.

BRACELET

= voir d'abord **bijoux.**

= la dépendance étroite, le bracelet liant symboliquement le bras; dépendance affective et possessive, s'il s'agit du bracelet **gauche**; entrave au libre-arbître, s'il s'agit du bracelet **droit.**

= l'érotisme féminin ou masculin de la main, du bras et de l'épaule, de la caresse; la sensualité en ce sens.

= l'attraction magnétique par les mains; par extension, la chaleur humaine qui réconforte, soulage.

Rêver de bracelet d'**or**: dépendance sans soumission réelle à un autre être, parce que conditionnée par l'élévation spirituelle ou sociale que le partenaire devra apporter. D'**argent**: tendance nette à être « satellisée »; l'annonce d'une existence mouvementée ou noctambule; ou encore, s'il s'agit du bracelet droit, d'un maniement d'argent conséquent mais instable. Bracelet en **serpent**: volonté de puissance, par l'ascendant magnétique sur autrui; elle sera éphémère si le serpent est d'argent; positive et durable, s'il est d'or.

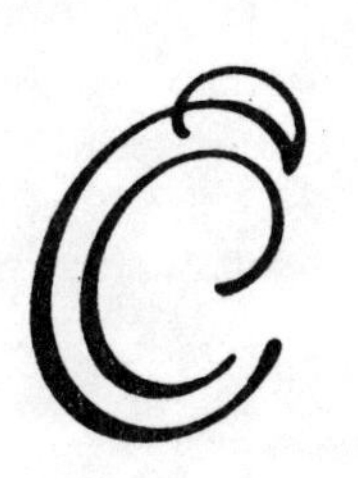

C

CAMBRIOLEUR

= physiologiquement, la dévitalisation en cours de sommeil, période durant laquelle on est en quelque sorte absent de soi-même et comme hors du corps (le logement).

Bien des gens se réveillent fatigués pour cette raison. En rêvant de cambrioleur, ils seront avertis qu'une déficience organique ou psychique leur « vole » la quintessence de leur nourriture. Remèdes: si la cause est organique, voir le médecin; si elle est psychique, trier ses relations; éliminer les êtres névrosés qui « pompent » la vitalité d'autrui.

= l'annonce que l'on sera victime d'une trahison en cours d'absence, de voyage.

= le détournement d'un profit ou d'un héritage par manoeuvre souterraine, c'est-à-dire à l'insu du rêveur.

Si celui-ci est lui-même le cambrioleur: l'indication qu'il a le don de « vampiriser » les êtres dolents ou masochistes. Il prélève sur eux un appoint d'énergie vitale, indûment, ou d'argent.

CAMION

= la force brutale, d'ordre plutôt collectif (le camion transporte des marchandises collectives), à double face: elle renverse les obstacles ou écrase le passant...

Si c'est le rêveur qui conduit le camion: l'annonce qu'il aura la responsabilité d'une entreprise, de maniement malaisé. Si le camion arrive sur lui: le risque d'être broyé par une force colossale, telle un trust, un groupement politique, un journal d'opinion ou l'appareil policier ou judiciaire. Si le camion, en se rapprochant, diminue de volume au lieu d'en augmenter: le signe que le rêveur surestime l'adversaire collectif qu'il affronte, ou que la force de celui-ci est illusoire.

CARAVANE

= même symbolisme que **roulotte,** qu'elle reprend avec des nuances.

= l'annonce d'un voyage tout confort, par exemple celle d'une affectation professionnelle en province ou à l'étranger, qui n'empêchera pas l'intéressé d'emmener avec lui sa famille.

= l'entreprise mal racinée, fausse maison, car sans fondations, dont la remorque posera peut-être des problèmes.

CARTES à JOUER

= la passion du jeu, si le contexte du rêve est celui d'une salle de jeu ou d'un tripot.

Sous cette optique, le rêve peut être un avertissement: éviter de se lier avec la personne à laquelle ce thème fait allusion; les joueurs ont une mentalité de drogués.

= l'annonce d'un tournant dans la destinée.

Le rêveur devra faire l'effort de se souvenir des cartes précises qu'il a aperçues; leurs symboles lui donneront le ton des événements qui se préparent et vont « tomber ». Coeur: l'affectif (l'as = grande joie, sauf si le coeur est à l'envers; en ce cas, joie mitigée, passant peut-être par un deuil libératoire ou autre ennui passager); carreau: la maison (l'as), les voyages, les démarches, les visites (roi, dame), le facteur (valet); trèfle: l'argent; pique: décès (as), procès, conflit, haines...

CARTOMANCIENNE

= le conseil d'en consulter une.

Ces modestes « druidesses » modernes ont un rôle qui n'est pas sans intérêt. En analysant les problèmes de leurs consultants, elles contribuent à les résoudre, même si leurs prévisions demeurent floues ou ne se réalisent qu'à demi! Un problème sans solution n'est souvent tel que parce qu'il a été mal posé ou parce que l'intéressé commet des erreurs de jugement.

= la destinée.

Voir en rêve une cartomancienne sera toujours le présage d'un changement. Si l'on voit un jeu de cartes étalé, il s'agira du détail des événements à venir. Leurs symboles (coeur, carreau, trèfle, pique) auront une signification précise. Voir **cartes à jouer.**

CAVALIERE

= la femme combattive, dynamique, qui va au-devant de la lutte pour la vie; la femme virilisée conduisant elle-même la voiture, c'est-à-dire son destin.

= la femme qui prend les initiatives amoureuses, ou la chasseresse d'hommes, parfois, la lesbienne.

La femme qui se voit en cavalière, peut ainsi recevoir le conseil de mener elle-même ses affaires, notamment celle en cours. Pour l'homme, rêver d'une cavalière, signifiera l'alliance possible et souhaitable avec une femme, en affaire. Mais ce symbole reste ambigu et ne s'éclaire guère que par le contexte.

= la femme dotée d'intuition ou de médiumnité.

Jeanne d'Arc, la plus célèbre cavalière, était à la fois cavalière, meneuse d'hommes et prophétesse; c'est du reste par cette dernière qualité (ses voix) qu'elle dominait le mieux ses capitaines. La cavalière pourra donc symboliser le médium, la femme astrologue ou la cartomancienne, avec le conseil de consulter l'une de ces « prophétesses ». Et la jeune fille qui rêvera d'une cavalière ou qui se verra à cheval, ne trahira pas forcément ainsi une tendance homosexuelle; il s'agira peut-être de la révélation d'un don pour les sciences occultes.

= l'agressivité féminine.

En ce cas, le symbole se démultipliera; le rêveur ne verra pas une cavalière, mais plusieurs: l'avertissement d'une « guerre des sexes » dont il sera, s'il est homme, le souffre-douleur, ou l'indication qu'il est victime d'un « matriarcat » abusif dont il devra se dégager par la force ou la ruse.

CAVE

= le ventre, les instincts refoulés dans le « sous-sol » de l'être; chez l'obsédé, le vagin.

Rêver de cave: refus de la vie ou impuissance à vivre, la nostalgie du ventre maternel, nostalgie absurde — le cas des jeunes qui vont à la drogue pour y retrouver le rêve douillet du foetus; en positif, le besoin de se retremper au sein de la vie élémentaire, c'est-à-dire de la nature brute, celle des instincts; en ce cas, la cave comportera des éléments végétaux, pomme de terre germée, par exemple; rarement: l'obsession par le passé enterré, par l'antiquité. Rêver de cave à trésor: pour une femme, un test de grossesse, positif si elle trouve le trésor; pour les deux sexes: l'annonce d'un héritage de famille, car la cave appartient à la maison.

CERCUEIL

= la maladie infectieuse (c'est un genre de pourrissement), la **mort** ou l'**enterrement** auquel on va devoir assister.

= l'obsession par une présence morte, c'est-à-dire le fantôme d'un décédé, avec une certaine complaisance morbide.

Si le cercueil est neuf: cette obsession se reliera à une mort récente. Cercueil effondré: libération proche d'une ambiance dépressive de mélancolie. A noter que le cercueil neuf peut aussi annoncer une mort très proche.

CHACAL

= symbole maléfique: le rôdeur nocturne, le « mangeur de cadavre », c'est-à-dire l'héritier abusif.

Rarement, le symbole de la victoire sur la mort ou, plutôt, sur le pourrissement — le chacal se nourrissant sans inconvénient de cadavres. En Egypte, le dieu à masque de chacal Anubis était dieu des momies. Une personne gravement malade rêvant de chacal y verra la victoire de son organisme sur l'infection ou le cancer.

CHAISE

= le repos après l'étape, l'accalmie, la convalescence. Une chaise ne sert qu'à la détente provisoire.

Ce symbole peut aussi se comprendre comme un avertissement de l'inconscient: il y a nécessité de repos ou de rentrée en soi comme dans une oasis, loin de la fébrilité.

Autre sens qui fut propre à la symbolique égyptienne: les personnages importants y étaient représentés assis sur une chaise, les autres debout ou accroupis. D'où: amélioration de situation en vue, emploi stable.

CHAR à BOEUFS

= la patience.

Cette image désuète apparaît essentiellement en tant que conseil, voire comme avertissement, adressé aux gens fébriles ou cardiaques: il faut « dételer », décrocher, rompre avec son rythme de vie, au moins pour un temps. Si l'attelage est à deux boeufs et que l'un, immobilisé, blessé ou affolé, freine la marche: danger d'hémiplégie.

CHARRETTE

= voir **voiture à chevaux, char à boeufs.**

CHASSE

= physiologiquement, l'anémie, par allusion à la déperdition de sang animal, lors de la chasse.

Ce genre de rêve pourra aussi avertir le dormeur qu'il vit au sein d'un entourage qui l'épuise; c'est un peu comme s'il était dans la position de l'animal, perdant son sang, par le fait du sadisme des gens qui le harcèlent. A noter que les chasseurs maniaques, passionnés de carnage, sont des êtres vampiriques: plus ou moins dégénérés, il ont besoin de se « refaire » en se plongeant dans l'ambiance du sang versé et évaporé.

= la lutte sans merci, le procès ruineux, l'épuisante compétition sportive.

= la vengeance.

En ce cas, le rêveur sera lui-même le chasseur, évidemment. Les animaux poursuivis indiqueront la qualité réelle de l'adversaire: chasser le lion, adversaire honorable, s'interprètera autrement qu'une dératisation!

CHASSERESSE

= voir **cavalière**.

CHASSEUR

= l'être impitoyable ou l'épreuve, qu'il va falloir affronter; ou, à l'inverse, l'allié dynamique, efficace jusqu'à la cruauté.

Dans cette optique, le chasseur désignera l'avocat, le juge, le notaire ou l'homme d'affaire, parfois le père.

= le don Juan sans coeur, chasseur de femmes, le fiancé intéressé, chasseur de dot, le proxénète, l'usurier...

Un rêve de **chasse** annonce presque toujours un affrontement, sous une forme ou une autre, ou dénonce le vrai visage d'une personne qui nous attire.

CHAT

= symbole toujours bénéfique. Deux sens qui s'apparentent:

= le foyer, le lit, l'intimité. Rêver souvent de chats peut alors traduire une nostalgie, celle d'un foyer (mari ou épouse, enfants) inexistant.

= le symbole du chat se relie aussi à l'érotisme et à l'argent, ce qui n'est pas antinomique puisque l'argent suit presque toujours le mouvement des désirs. En Egypte, la déesse Bastît à masque de chatte était déesse de la joie des sens, régissant tout ce qui peut ravir ceux-ci: érotisme, musique, luxe...

Rêver de chat **blanc**: joie mentale en vue, solution d'un problème; de chat de couleurs: joie sensorielle; de chat **noir**; très bénéfique, c'est la libération proche d'un grave souci, peut-être à travers des péripéties, des ruptures, voire une mort; de chat tigré: revitalisation, ce type de chat étant le plus vigoureux. Rêver d'une chatte accouchant d'une portée: héritage, multiplication inattendue de biens. Etre mordu par un chat: trahison de femme, médisance qui porte. Etre griffé: querelle amoureuse, humiliation qui atteint le point le plus sensible. A noter que le chat est toujours symbole de vérité, de bon sens naturel; s'il y a médisance, il n'y aura pas calomnie; et les blessures d'amour-propre n'iront pas à l'encontre de la vérité sans masque.

CHATEAU

= l'âme secrète, jalousement défendue par le masque de notre personnalité, même par une dissimulation volontaire; le « jardin secret ».

= l'objectif inaccessible parce que hors de portée sociale; l'homme ou la femme de conquête difficile, dont on rêve vainement, qui ne nous remarque pas ou qui est d'un milieu trop bas ou trop haut.

Rêver de château fort: avoir l'esprit romanesque, hors réalité, ou infantile — le thème du château fort est thème de jeu d'enfants; ou assiéger un objectif inexpugnable. Le château de style Versailles: rêves de grandeur, de gloire, de célébrité cossue; dans les cas maladifs, refus de la banalité quotidienne ou mégalomanie. La gentilhommière: ambitions mesurées, nostalgie d'une autre époque, plus humaine; ou l'annonce de contacts avec un milieu social de qualité. Le Palais de l'Elysée: ambition politique, saine ou délirante, ambition mondaine, volonté de puissance. Rêver du Palais Bourbon, c'est rêver de succès oratoire (avocats), qu'il peut annoncer, ou d'un cercle étendu d'auditeurs, si l'on est auteur ou chanteur de charme. Le château foudroyé ou ruiné: perte de prestige ou de fortune, parfois mort.

= chez le mystique, le thème du château se rapporte au **double**, notre moi idéal dont notre moi quotidien n'est que pâle copie. Quand on rêve du château sur la montagne ou posé sur un nuage, dans lequel on n'arrive pas à pénétrer, il s'agira du double et de son univers idéal.

CHAUMIERE

= thème enfantin ou romanesque (« une chaumière et deux coeurs ») qui rejoint la maison de Blancheneige et des sept nains.

= traduit la nostalgie d'une enfance idéalisée, par **complexe** de fuite devant la lutte pour la vie.

C'est aussi un thème des rêves de snobs qui vivent au sein d'un luxe sophistiqué, sans lien avec la vie réelle; ils rêvent de chaumière par simple jeu des contraires. Le Hameau de Marie-Antoinette répond quelque peu à cette définition; lassée par les lignes trop classiques de Versailles et les parcs trop bien dessinés, lectrice assidue de Jean-Jacques Rousseau qui prônait pour les autres le « retour à la nature », Marie-Antoinette projeta sa chaumière dans la réalité.

CHAUSSURE

= la fonction sociale, la profession, car elles permettent de « prendre pied » dans la société, tout comme les chaussures permettent de marcher dans la rue — la **rue**, comme la **place publique**, sont des symboles de la société, de la vie collective.

Rêver que l'on marche dans la foule sans chaussures signifiera donc le manque ou la perte de situation; par extension morale, l'impuissance à s'adapter; porter des chaussures démodées: la profession que l'on se propose d'exercer n'a plus sa place dans la société et n'y trouvera pas d'écho; des chaussures trop grandes: on prétend à une position au-dessus de ses capacités; trop serrées: on se sent à l'étroit dans sa fonction.

En tant que symbole érotique, la chaussure représentera la femme. Rêver que l'on porte des chaussures dépareillées: adultère; si l'on circule ainsi dans la foule: cela se saura... Equivalent féminin, en ce sens érotique: le **parapluie.**

CHAUVE-SOURIS

= le noctambule, l'être qui vit la nuit et dort le jour.

Le symbole est souvent péjoratif parce que ces êtres, à force de vivre dans une ambiance artificielle (cabarets), ne s'adaptent plus vraiment au réalisme de l'existence. Le rêve de la chauve-souris sera alors une mise en garde: pas de bonheur possible, sinon artificiel, avec la personne qui a provoqué ce rêve.

= la faculté de mener, en cours de sommeil, une vie parallèle, surréelle, et de hanter les rêves de ses relations.

Les alcooliques, les aliénés, les drogués et les déprimés provoquent de tels rêves, soit pour eux-mêmes, soit pour leurs familiers: endormis, ces gens parviennent, par leurs antennes psychiques, à voler des énergies subtiles à autrui; ils ont un besoin urgent de cet appoint d'énergie, en vue de compenser ou freiner leur déséquilibre croissant. Ils profitent donc de l'état de non défense de gens endormis, et ceux-ci rêveront qu'une chauve-souris est entrée dans leur chambre.

CHEMIN

= l'évasion, la détente.

Rêver de chemin campagnard: le besoin d'aller s'aérer, au propre ou au figuré, de changer d'ambiance.

= la « petite route » des cartomanciennes, c'est-à-dire la démarche.

Se voir, marchant sur un chemin: une démarche qu'il ne faudra pas éviter. Des chemins qui se croisent: une rencontre non prévue, proche. Chemins parallèles: une rencontre que l'on escomptait, mais qui ne se fera pas. Chemin sans issue: démarche vaine. Voir **route.**

CHEMIN de FER

= voir **train.**

CHEQUE

= voir **monnaie.**

Voir en rêve un chèque annoncera une rentrée d'argent. S'il est sans signature: démarches préalables, discussions. Si le chiffre est omis: paiement illusoire. Perdre son carnet de chèques: perdre son autorité, son ascendant, son prestige, ses moyens de s'imposer. Trouver un carnet de chèques étranger: succéder à quelqu'un dans une importante fonction ou l'en déposséder.

CHEVAL

= physiquement, le dos, le colonne vertébrale, parce qu'on s'asseoit sur le dos du cheval.

= par extension, la vitalité nerveuse (concentrée dans la colonne vertébrale) ou la vitalité tout court.

Rêver de cheval **blanc** ou **noir** peut annoncer la mort, pour cette raison; blanc = l'absence de couleur, de vie; noir = l'opposé de la lumière qui est symbole de vie. Associé à l'eau calme (lac), le cheval révèlera souvent un état de grossesse; l'eau = les liquides au sein desquels grandit le foetus. Chute de cheval, près d'un lac: le risque d'une grossesse interrompue.

= plus rarement, l'annonce d'un événement fatal, voire dramatique, par allusion aux cavaliers de l'Apocalypse.

Rêver que l'on monte à cheval signifiera que l'on va se dépasser soi-même, décupler son dynamisme, donc son efficacité, ou que l'on va grandir en importance, car un chef monte à cheval... Une chute de cheval sur terrain dur: accident physique (chute) ou nerveux. D'une manière générale, le cheval passa toujours pour un symbole de noblesse, hautement bénéfique, parce que nos ancêtres voyaient en lui un animal des dieux. Bien sûr, si l'on rêve que l'on est piétiné par des chevaux, ce caractère se retournera contre soi; on sera vaincu par une force positive, lors d'un conflit dans lequel on aura représenté la mauvaise cause.

CHEVEUX

= l'activité mentale, parce que les cheveux sont une émanation de la tête...

Rêver que l'on démêle ses cheveux: la mise en ordre de ses pensées, cette opération pouvant parfaitement se dérouler en cours de sommeil. Il arrive en effet que l'écheveau des pensées obsédantes s'ordonne à l'insu du **moi**, c'est-à-dire par un travail de l'inconscient. Et la personne se réveillera avec des pensées clarifiées.

Si l'on se lave en rêve les cheveux: désintoxication mentale; on va mettre fin à une mise en condition en se libérant d'une doctrine rigide ou d'un totalitarisme qui étouffait sa liberté intime, mentale. L'homme qui se voit en rêve avec des cheveux longs, alors qu'il les porte courts habituellement: un avertissement — son psychisme se féminise aux dépens de sa virilité. Pour la femme qui se voit avec des cheveux courts: virilisation outrancière du psychisme, avec pour rançon la perte de son magnétisme féminin, si précieux! Rêver que l'on perd ses cheveux: perte de son indépendance mentale par endoctrinement ou risque de sénilité précoce. Cheveux blanchis: cette vision dénonce une mentalité désuète, hors actualité.

Voir **femme blonde, brune, rousse.**

CHIEN

= symbole ambigu, à significations divergentes:

= la fidélité naïve, la confiance aveugle.

= le flair, la sagacité, la chance dans la recherche ou la spéculation. Si, au cours d'une enquête, on rêve de chien, il s'agira d'un conseil: suivre son intuition, non son raisonnement.

= l'analité: le chien est fasciné par l'anus de ses congénères, par les matières fécales, les ordures, le fromage... Il lui arrive d'être homosexuel, et les homosexuels rêvent de chiens. Toutefois, qui dit analité, dit aussi pourrissement, décomposition, mort. Pour les anciens, rêver de chien noir était présage de mort. Symbole anal, le chien, de surcroît, hurle à la mort; et le noir est la couleur des ténèbres, de la nuit éternelle. Pour les anciens, le chien pouvait encore s'interprèter comme le signe d'une maladie intestinale, du moins le chien famélique, gâleux.

= en tant que symbole médical positif, il n'illustrera pas seulement l'intestin et l'excrétion, mais la victoire sur l'infection parce que le chien mange des viandes avariées sans en être incommodé.

Rêver de chien de luxe du genre « trafiqué », comme le pékinois, exprimera le lien avec un milieu brillant, mais dégénéré. Se voir mordu par un chien: trahison, mauvaise surprise, du fait d'un ennemi à masque d'ami.

Chez les Guanches des îles Canaries, il arrivait que le chien accompagnât, momifié, son maître dans la mort pour le guider dans l'au-delà. En Egypte, le dieu-chacal Anubis régnait sur les momies.

CHOUETTE

= symbolise l'être qui vit de préférence la nuit, donc le noctambule, l'artiste, le fêtard; symbolise encore le somnambulisme et l'insomnie. Le hibou = même sens.

= autre sens: le don de **médiumnité,** à cause d'une analogie: la chouette voit la nuit et le médium voit ou sent ce qui, pour les autres, reste nuit obscure.

= le mystère, l'énigme, toujours pour la raison que la chouette voit la nuit qui est symbole de mystère.

= la sagesse, la sagacité, qualités de celui qui connaît l'autre côté du décor, son côté obscur, c'est-à-dire le monde de l'inconscient, au sein duquel naissent nos impulsions.

Rêver de chouette ou de hibou est éminemment bénéfique, sauf s'il s'agit du premier sens, banal: l'entrée dans une période de vie nocturne ou d'insomnie. L'intéressé va rencontrer un personnage insolite, doté d'une science non moins insolite, qui l'aidera à voir autrement ses problèmes. La chouette est l'un des attributs de la cartomancienne! Et celui de la déesse de sagesse Athéna... Si le rêveur tient en main la chouette ou si celle-ci se pose sur ses épaules ou sa tête, c'est qu'un don de médiumnité ou d'intuition va germer en lui. La chouette est aussi, bien sûr, un thème des rêves et cauchemars de policiers et de juges.

CHUTE

= l'accident physique pour soi ou autrui.

= la perte du succès ou de la situation.

Rêver que l'on tombe dans un trou et que la secousse est physiquement ressentie, au point que l'on se réveille, traduit la subite reprise de contrôle du corps. L'occultisme, une science en marge dont les racines plongent dans l'ancienne Egypte, prétend qu'en cours de sommeil, l'être n'est pas vraiment dans son corps, mais flotte au-dessus; pour cette raison, les yeux du dormeur paraissent vides, sans regard, sans âme, s'il dort paupières mi-levées.

Rêver que l'on tombe à l'eau: angoisse, mauvaise respiration dans le sommeil, risque de maladie pulmonaire, ou grave échec en vue, touchant aux moyens d'existence matérielle — ceux qui permettent de « respirer » dans le social. Si l'on se jette à l'eau volontairement: fuite devant l'action et les risques ou devant une situation qui se présente mal. Tomber dans un trou: être bloqué, emprisonné, au propre ou au figuré.

CIERGE

= la vie qui, lentement, se consume.

Rêver de cierge qui s'éteint: agonie, mort ou rupture. S'il brûle: guérison ou solution de dernière minute dans une affaire difficile — par allusion au cierge que l'on allume à l'église pour obtenir, sinon un miracle, du moins une grâce.

= l'organe sexuel masculin.

Pour la femme, ce symbole indiquera qu'elle est l'objet d'un désir précis et brûlant; pour l'homme: obsession, refoulement, insatisfaction, ou tendance à l'homosexualité. Le cierge qui s'éteint: une passion qui s'éteint de même.

CIGARETTE

= le plaisir fugitif, la rêverie qui calme la fébrilité, mais en brûlant de l'énergie (vitale et financière) pour rien; en plus important: l'opération ou l'entreprise illusoire, non rentable, qui, après une belle « flambée » ne laissera que cendres.

La cigarette n'est qu'une drogue, et fumer est une opération à sens unique. Si le rêveur voit des parents ou des connaissances fumant, c'est que ces personnes gaspillent son argent ou l'épuisent nerveusement. La cigarette qui s'éteint: rupture avec un élément parasitaire.

= la détente, la récréation.

En ce cas, le thème n'est plus négatif: le rêveur en proie à des soucis doit s'efforcer de les minimiser; la cigarette, si elle est allumée, lui annoncera un soulagement proche.

CIMETIERE

= la mélancolie, le regret lancinant, le dégoût de l'existence, le remords.

Rêver que l'on traverse un cimetière: être obsédé par un mort, ce qui est à la longue malsain; ou la nécessité d'un retour en arrière, d'une façon ou d'une autre, à propos d'une succession non réglée ou mal réglée; ou le sentiment obsessionnel de n'avoir pas fait son devoir vis-à-vis de quelqu'un, aujourd'hui parti ou mort.

= la stérilité.

Le thème du cimetière hante les rêves et les oeuvres d'artistes qui savent, au fond d'eux-mêmes, qu'ils n'apportent rien au public, n'ayant rien à exprimer.

CINEMA

= la passivité, la rêverie qui détend les nerfs ou endort le dynamisme; la fuite devant l'action, l'**inhibition.**

= le symptôme d'une activité nocturne du psychisme, à propos d'événemennts réels que le **film** transpose ou maquille, et dans le but positif de soulager à la fois l'inconscient et le moi. C'est à la suite de tels rêves que le dormeur, dès le réveil, aura l'intuition brusque d'une solution au problème en suspens. S'il se souvient du film que l'on projetait dans son rêve, il verra, s'il est perspicace, qu'il existe un rapport entre le titre ou le film lui-même et son problème.

En ce cas précis, le rêve aura eu pour support une zone dormante du cerveau, à laquelle le moi n'a pas accès; c'est cette zone qui aura rêvé! Quand on rêve que l'on est au cinéma, que quelqu'un se place dans le champ de vision ou que l'on est trop mal placé pour voir l'écran, il faudra retenir l'interprétation cidessus; et il en ira de même quand on rêvera... que l'on rêve!

Assister à un film d'épouvante: **traumatisme,** dû à un choc moral de la petite enfance et qui se projette ainsi, caricaturalement, en tournant à vide sur lui-même, parce que la mémoire du moi en a perdu le souvenir. Il faudra une auto-analyse pour exhumer le traumatisme, c'est-à-dire le restituer à la mémoire; alors, les phantasmes s'annuleront. Rêver de film érotique: thème familier aux hypocrites, aux gens surintellectualisés et aux dégénérés et dont le but est de les empêcher de faire passer dans les actes leurs tendances refoulées, maladives en leur cas.

CIRCULATION

= voir **rue.**

CLEF

= en général, symbole érotique: le moyen d'accéder à la femme.

Très souvent, la clef indique qu'une solution est en vue, concernant un tourment, un problème ou une énigme. Symbole bénéfique. C'est la fin proche d'une angoisse; on va retrouver l'harmonie avec soi-même. Perdre ses clefs, en rêve ou dans la réalité, signifie, en banal, le refus de l'acte sexuel, la frigidité ou l'impuissance. En moins banal, cela traduit un désaccord avec soi-même au sujet d'une transaction, un désir de fuite devant un engagement précis.
Les clefs symbolisent aussi la maison, le foyer, et tout ce qui en dépend.

COFFRE

= sens multiples parce que le coffre a connu des usages divers; au moyen âge encore, il tenait lieu d'armoire à linge.

= l'intimité (parce qu'il renferma jadis les vêtements), les secrets personnels, les intrigues en cours, surtout érotiques, les secrets d'affaires. Ouvrir un coffre en rêve: surprendre un secret; le fermer: le conseil de garder la confidence, à propos d'un projet. Briser un coffre: colère passionnelle, à la suite d'une trahison que l'on va découvrir. S'apercevoir qu'il est vide ou rempli d'objets dérisoires: faux secrets ou faux soupçons.

= le lit d'amour, en tant que réceptacle du corps désiré (celui-ci, symbolisé par les vêtements qui sont dans le coffre), le corps ou le psychisme de la personne que l'on courtise.

= le **cercueil** ou la **prison.** Le thème du coffre, ainsi compris, obsède les rêves des gens qui souffrent de claustrophobie.

COFFRET à BIJOUX

= voir **bijoux.**

= le sanctuaire secret de la femme, car renfermant les instruments du culte qu'elle se doit de vouer à sa féminité (avec la trousse à **maquillage);** par extension, la source plus ou moins consciente de son charme; le support caché de sa volonté de puissance.

= physiologiquement, les ovaires, les organes sexuels féminins.

= l'illusion, le rêve impossible, la mythomanie, par allusion aux coffrets à trésors des contes de fée.

Rêver de coffret en matière synthétique: l'indice que l'âme profonde se révolte contre une personnalité extérieure sophistiquée ou un snobisme qui gâte le charme naturel. Un coffret ouvert: exhibitionnisme sexuel, cynisme, entraînant la négation du mystère féminin et l'évaporation de tout magnétisme attractif. Un coffret de bois odoriférant: santé psychique se répercutant sur une peau agréable, saine; bien des maladies de peau (boutons persistants) ont une origine psychique! Coffret vide: stérilité, au propre ou au figuré, ou tendance à une virilisation excessive, agressive. Coffret dont la matière est plus précieuse que les bijoux: charme et prestige dûs au milieu, non à soi-même. Coffret trop plein, débordant: féminité trop maternelle, débordante ou possessive. Coffret fermé, sans clef: **inhibition** grave.

COLLIER

= voir d'abord **bijoux.**

= la dépendance, comme pour le collier du chien qui, de surcroît, porte le nom du propriétaire. Cette dépendance acceptée peut se relier à une religion, à une secte, à une foi politique et, en ce cas, le collier sera orné de symboles précis: croix ou figures héraldiques.

= le charme enveloppant de la voix, la « magie du son » dont le point d'application est à la gorge, avec l'ascendant qui en découlera. Le pectoral des grands-prêtres d'Egypte signifiait qu'ils étaient des magiciens en ce sens.

= l'érotisme féminin, de nature passive et attractive, parce que le collier met l'accent sur la gorge.

Se voir offrir en rêve un collier: pour une femme, le présage de la possession amoureuse. D'**or**: avec élévation sociale. D'**argent**: avec des avantages financiers. De **perles**: avec des arrière-pensées intensément érotiques. Collier qui se brise: rupture de lien ou charme brisé. Perdre une ou plusieurs perles: physiologiquement, perdre une ou plusieurs dents (accident), ou perte brutale de son prestige physique ou magnétique.

COQ

= la virilité naïve et agressive (à cause des ergots).

La femme amoureuse qui rêve de coq y verra le portrait intérieur, caractériel, de l'objet de son désir. Le coq symbolise aussi le gigolo: tous deux sont élégants, beaux parleurs (chacun à sa façon) et administrent un harem.

= la vanité, l'infatuation de soi-même, car le coq a une petite cervelle.

Sous cette optique, le coq schématisera le portrait de quelqu'un qui en impose bien à tort.

= l'annonce d'une nouvelle « journée », c'est-à-dire d'un autre cycle de vie, avec la fin d'une période de « nuit », d'attente: le coq chante à l'aurore.

Le thème du coq trahit parfois un état latent d'homosexualité, chez l'adolescent.

CORBEAU

= l'annonce d'un deuil parce qu'il s'agit d'un oiseau en tenue de deuil, et d'un héritage possible, puisque le corbeau se nourrit volontiers de cadavres...

= l'avertissement que l'on va être la cible d'un « corbeau », au sens populaire du mot, c'est-à-dire d'un rédacteur de lettres anonymes.

COSTUME

= la personnalité, c'est-à-dire l'image que les autres se font de nous-mêmes; la fonction sociale, la profession, tout ce qui nous permet d'exister dans le social. On ne peut circuler nu dans la **rue**, celle-ci, symbole de la vie collective.

= le charme, la séduction, le magnétisme personnel qui jouent le même rôle, par rapport à autrui, que le costume.

Changer de costume en rêve: changer de profession, d'affectation, quelquefois de partenaire érotique; en ce dernier cas, le costume symbolisera de façon subtile l'image que le partenaire se fait du rêveur; cette image ne correspond pas toujours à la vraie personnalité de l'intéressé. Porter un costume déchiré: blessure d'amour propre, honte publique; un costume incomplet (veston ou pantalon oublié, ou pas de robe): personnalité inachevée, infantilisme, déséquilibre caractériel; ou désir forcené d'attirer l'attention, **narcissisme** outré, exhibitionnisme. Se voir en tenue de clochard: misère intérieure, décomposition de la personnalité; ce thème hante les rêves des drogués; il peut aussi indiquer au rêveur sa propre hypocrisie: celle du millionnaire qui joue au « gauchiste », ou du « petit bourgeois » qui prône un ascétisme à la Gandhi sans sacrifier son confort. Se rêver en **uniforme**: voir ce mot.

CRANE

= le crâne de **cimetière**, thème cher à Shakespeare (Hamlet), symbolise le néant, l'illusion, la **mort** — et aussi l'obsession par des idéologies illusoires, donc mortes, car ne reposant ni sur la nature, ni sur l'expérience vécue, ni sur la métaphysique.

Découvrir en rêve un crâne dans son appartement: on est sous l'influence déprimante ou stérilisante d'une personne négative (quoique peut-être extérieurement brillante), d'une **névrose** ou d'idées qui sont sans impact avec la réalité. Prendre en main un crâne, c'est prendre conscience d'une imposture; si le crâne se brise en miettes, ce sera bon signe et indiquera que, par l'analyse (émietter signifie analyser), on se libérera d'une illusion paralysante. Voir **squelette.**

En positif, mais plus rarement, le crâne symbolisera la force mentale, armature de l'être — car le crâne est l'armature de la tête. Seul, le contexte du rêve permettra de trancher entre deux significations, en somme contraires.

CREATION

= rêver que l'on peint divinement, que l'on joue à la perfection d'un instrument ou que l'on est un acteur de théâtre parfait, indique le **transfert** sur plan surréel d'une ambition étouffée ou déçue; cela peut aussi être l'indice que l'on porte en soi un don non exprimé.

= peindre signifie plus volontiers que l'on se « maquille » par projection sur une toile, c'est-à-dire que l'on s'idéalise en public, au physique ou au moral. Les mondains peignent beaucoup en rêve!

= jouer d'un instrument à vent supporte une interprétation physiologique: c'est un thème onirique de tuberculeux ou d'asthmatique, traduisant une angoisse précise, avec le désir de la vaincre; ou le signe d'une volonté de puissance: on rêve de suggestionner autrui par la « magie du son », autrement dit, par le charme de la voix.

= jouer du piano traduit souvent la sensualité raffinée, liée à l'érotisme du toucher, et non exploitée en vrai!

= jouer un rôle de théâtre: le désir contrarié de jouer un rôle sur la scène politique ou mondaine ou dans la sphère des vedettes; ou l'annonce prémonitoire qu'il en sera ainsi.

CREUSER

= voir **labourer.**

Rêver que l'on creuse un trou peut signifier que l'on cherche un trésor, au propre ou au figuré (par exemple, la reconnaissance d'un droit), ou la clef d'une énigme. S'il n'y a rien au fond du trou: illusion, mythomanie. S'il n'y a qu'eau fétide ou chairs décomposées: découverte d'un crime ancien ou de quelque intrigue malpropre. Si le trou contient une plante en état de croissance ou du métal précieux (pièces, bijoux): les démarches, enquêtes ou fouilles en cours dégageront à la longue quelque chose de vivant, un droit à un héritage ou un titre de gloire.

CROIX

= changement de route, de destin, car jadis, avant le christianisme, la croix sur la colline signalait au voyageur un croisement de routes; perplexité dans le choix.

= pour le chrétien pieux: sacrifice nécessaire, souffrance, déchirement moral, croix à porter comme Jésus; le conseil de recourir à la religion, par la confession par exemple, ou la prière.

En péjoratif, chez les hippies notamment = un certain masochisme; la joie morbide d'être rejeté et méprisé par quelqu'un ou par tout le social, le goût pour l'auto-sacrifice, avec l'illusion de se sacrifier pour autrui ou pour la collectivité, en vue d'un avenir meilleur pour tous; c'est le péché d'orgueil, dénoncé par les théologiens!

= la mort.

CUISINE

= médicalement, l'appareil digestif en son entier; la cuisine reçoit en effet les aliments, les transforme, et stocke en poubelle (gros intestin) les déchets.

= le psychisme, mais dans sa fonction « digestive »: il reçoit une nourriture d'ordre émotionnel ou passionnel et l'assimile à sa façon.

Les rêves de cuisine dénotent un bon métabolisme, physique et psychique. Ils sont rares chez les névrosés. Pour le malade en traitement, qu'il s'agisse d'une affection biologique ou caractérielle, ces rêves indiqueront que le médecin traitant à réussi à faire évoluer le mal, grâce d'abord à la sûreté de son diagnostic. Toutefois, des rêves de cuisine trop obsessionnels trahiront la recherche éperdue d'un traitement, en vue de remettre en mouvement une fonction sclérosée; et, s'il y a traitement en cours, celui-ci s'avérera insuffisant. Chez les personnes névrosées, les rêves de cuisine révèleront toujours un élément capital qui sera absent; une cuisine sans aliments: manque d'amitié, de chaleur humaine, mélancolie pour cause de désoeuvrement; sans cuisinière ou sans moyen de chauffage: froideur, dédain pour les marques d'affection ou les activités proposées. Ces derniers cas s'appliquent à certains types de névroses caractérisant les êtres qui négligent leur alimentation ou suivent un régime absurde, non nourricier, parce qu'ils prélèvent inconsciemment et directement de la vitalité sur autrui, par osmose vampirique.

CULOTTE

= voir **slip.**

D

DANSE

= symbolise un mouvement d'énergie en soi. Celui-ci peut être totalement inconscient ou se traduire par des symptômes que le médecin n'interprètera pas.

En ce cas, à titre indicatif, le rêve montrera une danseuse évoluant seule. S'il s'agit d'un couple, ce sera le présage, simplement, d'une idylle. Si la danse du couple s'effectue sur un rythme syncopé, moderne c'est-à-dire afro-américain, le symbole sera péjoratif. Ce rythme, anti-yoga par excellence, disperse les énergies de l'être et l'animalise.

DENTS

= symbole très ambigu, d'interprétation malaisée:

= le point d'appui, la personne qui nourrit, littéralement ou non, car sans dents il est difficile de manger.

Rêver que l'on perd une dent: prémonition indiquant la disparition prochaine d'un point d'appui, nourricier, affectif ou autre, par décès peut-être. Les dents du haut s'assimilent le plus souvent à des relations féminines parce que la mâchoire du haut est passive dans la mastication comme l'est la femme dans l'acte sexuel; et inversement pour les dents d'en bas. Une autre interprétation assimile toutes les dents du côté gauche des mâchoires à des identifications féminines (la main gauche est passive), et inversement pour le côté droit. Il est difficile de choisir entre ces deux interprétations. Rêver que l'on perd une dent cariée: rupture avec un appui douteux, un faux ami; une dent artificielle: perdre un point d'appui artificiel ou fin d'une illusion en laquelle on croyait comme en une religion.

= la « devanture », l'aspect de soi que l'on montre aux autres, surtout physiquement.

Sans ses dents de devant, souvent artificielles, le chanteur de charme n'existe plus guère! Perdre en rêve de telles dents: chute de prestige, par vieillissement ou par perte du don qui charmait autrui; accident de la face.

DESERT

= physiologiquement, la deshydratation organique ou la crise de fièvre en perspective.

= la stérilité biologique, morale ou intellectuelle.

Ce thème du désert peut survenir après une lecture ou une rencontre, en guise de commentaire éloquent.

= l'épreuve à traverser.

Même symbolique que le **tunnel.** L'issue de la traversée du désert, s'il y en a une, indiquera le résultat de l'épreuve: oasis, rencontre inattendue, bénéfique ou maléfique, puits jaillissant ou à sec.

DIADEME

= voir d'abord **bijoux.**

= l'ambition couronnée; la domination passive par l'ascendant, le prestige, le rang, la fascination, le charme ou le magnétisme qui émane des yeux et du front.

Rêver de diadème d'**or**: le prestige de la dame de qualité. D'**argent**: celui de la vedette. En métal vulgaire: prestige d'arriviste qui n'a pas les qualités que son rang ou sa fortune exigeraient; autoritarisme étroit, cruauté, sadisme. De telles visions dénoncent généralement l'identité réelle, intérieure, des personnes qui en imposent au dormeur. Voir aussi **pierres précieuses,** car un diadème en porte presque toujours une ou plusieurs.

DIAMANT

= symbolise la sagesse sans compromission, la pureté froide, la perfection qui se suffit à elle-même et n'est tributaire de rien, ni de personne.

Ce symbolisme du diamant se confond plus ou moins avec celui du **blanc**. Rêver de diamant blanc peut annoncer l'éclosion d'une vocation religieuse avec rupture totale de tous liens.

Voir **picrrcs précieuses.**

DIVORCE

= se voir, divorçant, préfigure la coupure définitive avec un être familier, avec sa famille, sa religion, son travail ou avec une communauté de relations.

Rarement = le divorce avec la vie — pour celui qui se drogue, par exemple.

DOS

= l'anonymat, la honte qui se cache, parfois un symbole d'énigme à résoudre.

Les anciens Mexicains avaient des statues divines qui ne se voyaient que de dos — parce que le dieu n'a pas de visage!

Voir **âne** et **cheval.**

EGOUT

= physiologiquement, le gros intestin (constipation); en psychiatrie, la névrose.

La **névrose** est en effet un égoût intérieur, une sorte de cloaque surréel, invisible, qui tire à soi les résidus psychiques ou « eaux sales », les siennes propres et celles de l'entourage. D'où ce malaise qu'inspire la névrose.

Rêver d'égoût: être immergé au sein d'une névrose. Un tel rêve sera en un sens bénéfique, car il aidera le dormeur à prendre conscience de sa situation psychique; l'auto-guérison sera dès lors amorcée; la névrose n'est inguérissable que lorsque le malade refuse obstinément de reconnaître son état. Autres interprétations: être en train d'écrire un livre polluant, de peindre ou de tourner un film dans le même esprit négatif; être le jouet d'une ou plusieurs personnes névrosées ou tarées. L'égoût qui s'écoule lentement: dégagement proche, en cours; les fluides pourris au sein desquels on étouffe vont s'aérer. L'égoût qui éclate sous la pression des gaz: accident physiologique ou intervention chirurgicale, touchant le gros intestin; ou scandale libératoire; ou encore décès brutal d'un être pourri qui oppressait le rêveur.

ELEPHANT

= la force démesurée, mais bonnasse.

Rêver d'éléphant présagera la rencontre d'un personnage de puissance, mais d'abord aimable et plein de bienveillance.

= la sagesse, car l'éléphant domine aisément sa force et ne la tire que du règne végétal.

En tant qu'auto-portrait psychologique, l'éléphant indiquera le parfait contrôle de soi-même. Eléphant **blanc**: allusion à une intervention possible de personnage important, mais sans résultat tangible.

EMERAUDE

= influence vitalisante ou dévitalisante, stimulante ou annihilante.

En Egypte, en Inde, au Pérou et Mexique, l'émeraude était censée concentrer le « rayon vert », source cosmique de la vie biologique; et ce rayon posséderait la propriété d'accélérer le métabolisme organique, à la fois dans le sens de la vie et de la mort. Sous son influence, une cellule malsaine évoluera en cancer. Voir en rêve une émeraude aurait donc une signification opposée, selon que le dormeur est sain ou malade.

Voir **pierres précieuses** et **vert.**

ENFER

= voir **asile.**

ENTERREMENT

= parfois, rêve prémonitoire — voir **mort**; mais plus souvent, une fin de cycle ou de période, comparable à l'ultime saison, l'hiver, qui est aussi un enterrement, tout en couvant un renouveau.

Une dame rêva qu'elle suivait l'enterrement de son fils en pleurant toutes les larmes de son corps. Celui-ci, à ce moment-là, bien vivant, était en mer, revenant d'Orient où il s'était initié au yoga; son ancienne personnalité venait, en un sens, de mourir, car il changeait totalement de mentalité. L'expression populaire « enterrer sa vie de garçon » est en rapport avec cette manière d'interpréter.

EPEE

= comme le **sabre**, un symbole d'offensive, à exécuter ou à subir.

= l'expansion, donc le succès. S'il s'agit d'une panoplie, l'expansion sur plusieurs plans, en plusieurs sphères d'influence.

ESCALIER

= plusieurs sens parallèles; mais s'interprète plutôt en fonction du mouvement: monter ou descendre un escalier.

= physiologiquement, la colonne vertébrale, Rêver que les carreaux de sol sont disjoints aux étages ou d'une image équivalente, pourra avertir le dormeur que ses vertèbres sont disjointes; il doit aller consulter un chiropractor.

= l'entregent, la diplomatie, le don de s'harmoniser avec des milieux sociaux sans lien entre eux, car de telles qualités sont l'« escalier » ou l'« **ascenseur** » qui permet de passer sans gêne d'un « étage » à l'autre.

Rêver que l'on monte un escalier: avancement dans sa profession, montée sociale; le descendre: l'inverse. Chez l'obsédé, monter en rêve l'escalier sera une façon de mimer la montée vers l'orgasme; chez l'être mieux équilibré, il s'agira simplement du désir, inavoué à soi-même, de réaliser cet épanouissement sensoriel. Pour une femme, rêver qu'elle redescend l'escalier avant d'avoir atteint son sommet: orgasme non réalisé; pas d'harmonie en vue avec l'homme élu.

ETANG

= physiologiquement, l'abcès qui pourrit, le kyste ou leur équivalent.

= par analogie, un pourrissement moral ou psychique — vice ou **névrose** — d'où jailliront, soit un sentiment obscur de culpabilité, soit des **phantasmes,** soit les deux.

Extérieurement, une oeuvre ou entreprise louche, pourrie ou pourrissante. Symbole contraire: le **lac.**

ETE

= une ambiance d'été, dans le rêve, signifiera l'épanouissement, la maturité, tant biologique que caractérielle, ou l'apogée d'une carrière, voire la gloire proche, car l'été est l'apogée de la nature, dans son évolution annuelle.

ETOILE

= la chance, le salut, la gloire, la prédestination à un destin hors banalité, à un rôle public; parfois, l'amour, par allusion à la resplendissante planète Vénus.

Rêver d'étoile filante: chance qui va se présenter et qu'il faudra saisir sans hésiter; gloire brève mais qui laissera une trace dans la chronique; rencontre extraordinaire, bouleversante. Rêver de constellation: succès, gloire, mais par équipe, par association. Si l'étoile est placée dans la partie **gauche** du ciel: illumination mystique, révélation intime, secrète, éveil d'un don qu'il faudra d'abord garder secret pour ne pas éveiller de jalousie, par exemple un don de voyance, d'intuition ou d'art. A **droite** du ciel: succès extérieur, social.

F

FACTEUR

= nouvelles imminentes, si le facteur arrive de **face** ou par la **droite.**

= une nouvelle ou un secret que l'on hésite à communiquer, même en privé, et qui devra l'être, si le facteur arrive par la **gauche.**

Si quelque détail dans la tenue du facteur paraît anormal, il y aura lieu d'en tenir compte. Sans coiffure: la nouvelle en question sera reçue ou transmise par voie orale (les oreilles du facteur étant découvertes). Un facteur à lunettes: la nouvelle consistera, non en un document ou un récit, mais en un spectacle surpris.

FACTURE

= les soucis lancinants d'argent et de tous ordres matériels.

Le symbole est donc de mauvais augure. Toutefois, si le rêveur expédie des factures au lieu d'en recevoir: le signe qu'on le gruge; son travail n'est pas payé à sa valeur; qu'il se révolte contre l'exploitation et réclame son dû!

= un sentiment de culpabilité: le rêveur a trahi la loi d'échange qui régit les rapports humains; il reçoit et ne donne pas — soit sur le plan financier, soit sur un autre plan, affectif, par exemple.

FANFARE

= l'allégresse, la nouvelle inattendue qui fait joie, le succès.

FARDS

= les armes de la passivité attractive.

Voir **fards pour les yeux, maquillage.**

FARDS pour les YEUX

= le symbolisme ne réside pas dans les instruments (crayons, pinceaux), mais dans le fait de se maquiller les yeux.

En Egypte, hommes et femmes allongeaient le dessin de leurs yeux pour « élargir » leur personnalité fictivement et la rendre identique à leur **double** — personnalité idéalisée, secrète, dédoublant le moi — et qui est censé voir aussi à travers nos yeux. L'antimoine des paupières devait favoriser cette identification; c'est un fard de nature métallique; or, le rayonnement du double est de nature magnétique. En soirée, l'antimoine des paupières n'avait évidemment pas pour fonction de protéger les yeux de la réverbération!

Se voir en rêve, les paupières alourdies de fard, indiquera un trop-plein inemployé de magnétisme ou, si l'on préfère, dc séduction. Des paupières sèches: l'avis opposé, le manque de magnétisme, par abus des mondanités ou, pour une vedette, l'avertissement qu'elle est « absorbée » par son public.

Voir **rouge à lèvres.**

FEMME BLONDE

= la fée, la muse, la femme idéalisée, la femme romantique ou romanesque, la femme de luxe.

Jusqu'à une époque récente, la mentalité populaire ne concevait guère la femme de l'aristocratie autrement que blonde; certaines victimes de la Terreur ont été assimilées à la noblesse, par erreur, pour cette raison. La princesse des contes est blonde neuf fois sur dix, ainsi que l'héroïne des romans roses. Mais le symbole sous-entend aussi, généralement, une noblesse morale, c'est-à-dire la parfaite maîtrise des impératifs de sexe (que symbolise de son côté la **femme rousse**) et des instincts élémentaires, liés au sang et au sol **(femme brune).**

En péjoratif: le rêve flou, l'idéal hors vie, la mélancolie, l'anémie croissante.

Chez une femme, le symbole de la femme blonde pourra masquer une ambivalence sexuelle, vraie au moins sur le plan émotif. En positif, l'image sera pour la dormeuse la projection cinématographique de son **double,** c'est-à-dire de son moi idéal ou idéalisé.

FEMME BRUNE

= la vitalité sanguine et nerveuse, le magnétisme, la force du sol — autant d'énergies complexes qui concourent à former le tempérament passionnel des brunes; d'où, aussi, le bon sens naturel, les sentiments simples et droits, le réalisme; en contre-partie, la passion sans nuance, la violence jusqu'à l'aveuglement.

Pour l'homme trop intellectualisé, ce symbole indiquera la nécessité urgente d'un climat de simplicité et de chaleur humaine. En d'autres cas, il trahira un certain masochisme: le goût un peu pervers de la femme dominatrice ou des ambiances dramatiques.

Pour la femme du genre « plante de serre », ce sera le contre-poids à son état de sclérose, avec le conscil d'un retour aux racines vivantes: sol, peuple.

FEMME ROUSSE

= la sensualité (les rousses ont une **aura** que certains hommes prétendent aphrodisiaque), mais sensualité saine, tendance à l'érotisme simple, intense.

Une telle vision sera, chez l'homme, l'indice d'un tempérament en rapport, qu'il serait sans doute bon d'extérioriser davantage; il y a refoulement.

Chez la femme, cela peut être un symptôme d'anémie: l'image exprimera ce qui lui manque.

FETE FORAINE

= voir **kermesse**.

FEU

= voir **incendie** et **flamme.**

FILM

= la mémoire, le passé inchangeable d'où découle la loi de causes à effets, tout aussi fatale.

= voir **cinéma.**

La projection en rêve d'un film en noir et blanc traduira un passé sans chaleur humaine et dont il ne faudra attendre que des conséquences de même tonalité. En couleur: nostalgie intense qui lie le rêveur à une phase de son passé, avec une sentimentalité qui n'engendrera guère qu'auto-fascination pour un passé révolu et l'impuissance à se donner entièrement au présent.

FLAMME

= voir **incendie.**

Le thème de la flamme, feu isolé, supporte des interprétations particulières:

Flamme soudaine et brève: l'éclair de l'intuition; on va découvrir subitement la clef d'un problème, sans faire appel au raisonnement. Flamme intense, aveuglante: l'éclosion brutale d'une passion érotique. La flamme de l'Arc de Triomphe: la fidélité à un idéal ou à une personne morte, avec le conseil de la maintenir. Tenter de faire jaillir la flamme d'un briquet ou d'une allumette et n'y pas réussir: l'échec dans une tentative d'« allumage », c'est-à-dire de séduction. Voir la transmission de la flamme olympique de coureur à coureur: la transmission d'une doctrine de maître à disciple et le conseil de le faire; celle d'un héritage, d'un privilège, d'un don; ou encore la transmission d'un amant ou d'une maîtresse à quelqu'un d'autre.

FLEURS

= les pensées, les sentiments, les gestes (cadeaux) qui marquent la bienveillance, l'amitié, l'amour. Voir **rose.**

= l'annonce d'une cérémonie où les fleurs jouent un rôle: mariage ou enterrement.

Les fleurs en bouton se rapporteront plutôt à un mariage; les fleurs trop épanouies, à un enterrement. La fleur blanche peut tout aussi bien symboliser la virginité de la mariée ou son premier mariage que l'enterrement. Voir **blanc.**

= le jardin secret, l'oasis intérieure, où l'on entre par la relaxation et la rêverie; la joie que l'on y éprouve, loin de la fébrilité quotidienne.

Ce genre de rêve sera un conseil: il y aura urgence à « décrocher », car la fébrilité sous-entend le risque de dépression.

FOIRE

= le désordre pittoresque.

C'est un thème familier aux gens désordonnés dont les affaires tournent quand même, comme celles d'une foire. Pour d'autres, ce sera parfois l'invitation à moins de rigueur dans l'exercice de leur fonction, à plus de fantaisie.

= la détente joyeuse, la convalescence en milieu très insouciant, les vacances avec leur imprévu.

Se voir, traversant une foire, présagera ou conseillera une période de retrait, une coupure avec l'affairisme.

= l'événement ou la rencontre de hasard, tels qu'il s'en produit dans une foire et qui sont sans lendemain.

Parler en rêve à des inconnus, au milieu des stands: l'expression d'une aventure de vacance ou de week-end, à vivre prochainement.

FORAIN

= la rencontre sans lendemain, l'aventurier pittoresque qui ne se soucie guère des éventuels dégâts qu'il laissera derrière lui — puisqu'il ne sait où il sera demain!

Pour une femme, il pourra s'agir d'un amant occasionnel du genre « beau ténébreux »; pour l'homme et la femme, d'un affairiste dont le siège social change après chaque faillite, d'un impresario ou d'un « maître à penser » séduisant, mais un peu corrupteur et parasitaire.

FORET

= physiologiquement, la revitalisation, le bain de jouvence, le retour à l'équilibre par le contact avec la nature et, plus spécialement, la forêt. Voir **arbre.**

La forêt a en effet sur l'organisme un pouvoir revitalisant, sauf en hiver, quand elle doit mobiliser ses énergies pour elle-même, pour lutter contre la mort.

= l'inconscient, la zone inconnue de notre être intérieur, dans laquelle nous sommes immergés quand nous dormons et rêvons.

Rêver que l'on se promène en forêt: le conseil de se retremper au sein de la nature ou la nécessité de rentrer en soi pour s'y recharger, s'y apaiser, en somme pour rééquilibrer une vie quotidienne trop fébrile ou accablée. La clairière: la détente, l'oasis qui est en nous, par-delà les soucis. S'il s'y trouve un être de même sexe que le rêveur: son **double** ou son « ange gardien ». Si c'est un être de sexe opposé: la part féminine de l'âme masculine, et inversement pour la femme: réunir dans le rêve ses deux polarités donnera au dormeur joie et sérénité, car il retrouvera son unité intérieure; il ne sera plus dévoré par le monde extérieur. Forêt en feu: épuration libératoire ou fièvre au sens médical; l'âme fait sa lessive, détruisant par une sorte de combustion, parfois accompagnée de fièvre, voire de délire, tous ses poisons — rancoeurs, doute, haine. La maison dans la forêt: l'annonce d'une amitié profonde, d'un contact d'âme à âme, pour bientôt. S'il s'agit d'une maison dans laquelle il est impossible d'entrer: son âme secrète inconnue ou méconnue, bien souvent différente de la personnalité que l'on affiche. La forêt figée, sous la neige: **inhibition,** vie intérieure figée. La forêt aux arbres sans feuilles: âme vide; tout l'être est dans sa personnalité extérieure. Forêt nocturne: l'âme profonde ne se manifeste pas dans la vie quotidienne. Le sentier en forêt: l'intuition qui nous mène à la découverte de nous-même.

FOU

= symbole difficile, strictement lié à son contexte.

L'aliéné est, par définition, l'être absent de lui-même, donc sans l'esprit ou l'âme, mort en un sens. Rêver d'un fou dans la maison peut être le signe avant coureur d'une maladie mentale ou psychique (**névrose**) ou d'une dépression nerveuse, touchant un proche ou le rêveur lui-même; en d'autres cas, l'entrée de la mort chez soi. Voir un parent ou un ami, accompagné d'un fou: l'être en question est comme possédé par un démon (celui du jeu, par exemple) ou atteint d'une dangereuse névrose.

= l'être mentalement incomplet, l'enfant mongolien.

Une femme enceinte ou son mari, rêvant d'un fou sur un bateau ou sur un pont (les eaux symbolisent les liquides dans lequel baigne le foetus), recevra ainsi avertissement et conseil. Le contexe du rêve indiquera comment éviter cette naissance, en somme incomplète, qui n'est jamais une fatalité. Dans le contexte, il pourra y avoir un potager, ce qui suggérera le changement de régime alimentaire; ou des symboles de voyage (transatlantique, avion, train) qui conseilleront de changer de contexte humain durant la grossesse.

= l'instabilité, la versatilité, la ruse.

A ce titre, le symbole du fou engagera à la méfiance, à propos de l'une ou l'autre relation.

FOURMI

= le travail mécanistique, sans joie, l'activité fébrile qui ne laisse plus à l'être le temps de vivre vraiment; ou la personne qui reflète ce genre de dynamisme.

Rêver d'une invasion de fourmis: l'annonce d'un travail accaparant qui donnera plus de soucis que de satisfactions. Rêver que l'on écrase avec difficulté des fourmis parasitaires: soucis multiples, déprimants, démarches complexes, paperasseries, querelles terre-à-terre, dans le travail. Si l'on règle le problème par l'insecticide: colère exterminatrice, au figuré; on se débarrassera d'une chaîne de soucis par une solution radicale. La fourmilière peut aussi symboliser la ville superpeuplée et fiévreuse ou un ensemble HLM mal conçu, uniquement fonctionnel.

FOURRURE

= la protection contre les intempéries de la vie.

Ce thème dénote souvent un certain infantilisme: la nostalgie de la chaleur maternelle et la recherche d'une protection féminine, par impuissance à s'adapter à la lutte pour la vie; il y a d'ailleurs un rapport avec le symbole de l'**ours en peluche.**

Rêver de dame en manteau de fourrure: l'annonce d'un « piston » féminin pour un homme ou d'une liaison avec une femme plus âgée ou plus riche (ou les deux); ou encore l'annonce d'une aide extérieure qui viendra compenser une infériorité.

= symbole érotique en rapport avec une peau que l'on aimera caresser comme on aime caresser un animal à fourrure soyeuse.

G

GATEAUX

= satisfaction sensorielle en vue, à condition qu'il y ait consommation; ou rentrée d'argent.

L'obstacle, s'il y en a un, pourra être symbolisé par le pâtissier ou la pâtissière qui refuse les gâteaux, par le manque d'argent pour les régler ou par d'autres clients qui les raflent sous le nez du rêveur. Cet obstacle mettra en relief une rivalité érotique ou quelque **inhibition** personnelle s'interposant entre le désir, plus ou moins avoué à soi-même, et son assouvissement. En plus abstrait, joie sur le point d'éclater.

GITANE

= voir **Bohémienne.**

GRAND MAGASIN

= la prospérité cossue, de style moderniste, la bourgeoisie d'affaire, le standing.

Il arrive que ce thème synthétise la nature même d'une personne qui, en fait, n'existe que par ses affaires, son standing, sa fortune; à défaut, elle serait sans personnalité, vide d'âme. Il y aura, dans l'apparition de ce thème, le conseil voilé de ne pas pousser les relations (avec la personne que symbolise le rêve) au-delà de la nécessité; le contact d'âme à âme resterait chimérique.

= le paradis féminin.

Avec le conseil d'en user sans en abuser: l'ambiance de grand magasin ne peut que féminiser une femme à son avantage, d'autant plus que le contexte de la vie moderne tend à la viriliser.

= en péjoratif — la standardisation.

Il émane d'un grand magasin un climat fascinateur qui s'insinue dans l'âme féminine. Les femmes qui ne fréquentent que ces magasins-là finissent par s'habiller et se maquiller uniformément.

Si la rêveuse, contrairement à ce qui devrait se passer, se déplaît dans son shopping, c'est que la standardisation extérieure commence, au prix d'un sourd malaise, à standardiser son être intime, c'est-à-dire à le dépersonnaliser.

Voir **boutique, marché.**

GRENIER

= le cerveau, la mémoire, car on remise au grenier les vieux objets; et aussi la part inconsciente de la mémoire qui réside dans une zone dormante du cerveau.

Le cas des souvenirs de la petite enfance, refoulés dans la partie léthargique du cerveau. La science a établi que nous n'utilisons pour penser qu'une très faible partie du cerveau; le reste dort en permanence.

Rêver de grenier: complexe de fuite; on se réfugie dans le rêve, la vie se situant au rez-de-chaussée; ou retrouver sous peu le souvenir d'un fait important, refoulé dans la mémoire inconsciente, ou un objet égaré. Un grenier rempli d'objets surannés: avoir une mentalité surannée. Découvrir au grenier une mansarde inconnue: découvrir en soi une facette, jusque-là ignorée, de sa propre personnalité, ou un don non exploité. Grenier encombré: cerveau encombré de doctrines, d'idées ou de données, mathématiques par exemple, sans lien avec la réalité. Grenier vide: manque de culture ou fausse culture. Grenier à la toiture défoncée: risque d'accident à la tête. Grenier plein de plâtras: névrose, maladie mentale.

GROSSESSE

= en tant que prémonition, ce symbole subit souvent une **censure** et ne se traduit que rarement par des images directes, faciles; cette prémonition pourrait en effet alarmer ou, du moins, émotionner, le **moi**, et cela risquerait d'être préjudiciable au foetus.

Toutefois, un certain nombre d'images suggestives se rapportent fréquemment à l'état de grossesse: — le **ballon** (rare en ce sens), l'**oeuf**, le nénuphar (il croît dans l'eau comme le foetus), le trésor en cave (l'enfant est un trésor, caché dans le sein de sa mère), l'arbuste que l'on plante, la **pluie** (symbole de fécondité), les seins qui gonflent, le **tunnel**, le **cheval**.

GROTTE

= le sein maternel, au propre et au figuré, le ventre, le refuge.

Rêver de grotte: rentrer en soi, revenir en arrière, faire son auto-critique à la suite d'un échec, repartir à zéro en rentrant, en un sens, dans le sein maternel. Voir une grotte avec une source: bain de jouvence, régénération, épuration, guérison.

La grotte, en toutes traditions, est aussi la porte du surnaturel, car les fées se manifestent dans des grottes — comme la Vierge dans la grotte de Lourdes. Rêver de grotte, en période de désespoir, indiquera donc la possibilité d'un miracle de dernière chance.

La grotte complexe, à étages souterrains, chambres multiples et passages difficiles: l'intestin. Le symbole signifiera maladie intestinale, mauvaise digestion ou, moralement, épreuves à épisodes, dûres à « digérer » car aussi pénibles l'une que l'autre, si le rêve oblige l'intéressé à descendre de caverne en caverne.

Etre prisonnier de la grotte: maladie intestinale avancée; ou être prisonnier de sa famille, de son milieu, de ses relations d'affaires.

H

HABIT

= voir **costume.**

HIBOU

= voir **chouette.**

HIVER

= l'attente. Voir **neige.**

HORLOGE

= l'heure fatidique qui va sonner, l'échéance, la cristallisation très proche d'un événement grave, concernant la famille.

L'horloge est le témoin discret de la vie de famille dont elle sonne les heures. Une superstition veut qu'elle stoppe son mouvement, quand survient le décès d'un membre. A ce titre, elle symbolise aussi le coeur qui s'arrête de battre.

= le robot, l'homme-machine, car l'horloge a un cerveau mécanique, un corps et un pied.

Si l'on rêve d'une pendule de maison, c'est l'interprétation ci-dessus qui prévaudra. S'il s'agit d'une pendule de gare: l'annonce d'un départ, pour soi ou pour un membre de l'entourage, ou de l'arrivée de quelqu'un d'important. Pendule de mairie: le présage d'une naissance, d'un mariage ou d'un décès dont l'heure est en train de se décider; il peut être question, aussi, d'un événement d'ordre public, mais concernant le rêveur. Rêver d'horloge après une rencontre, sera péjoratif: la personne que symbolisera l'horloge n'est qu'un robot, qu'un être sans âme.

HOTEL

= la famille, le foyer, celui-ci étant lieu de rencontre d'êtres très divers par leur nature, un peu comme l'hôtel, malgré le lien du sang.

« La famille est une rencontre de voyageurs », a dit un poète chinois, voulant expliquer philosophiquement par là que les âmes qui s'incarnent dans une même famille proviennent d'horizons différents.

= le « chez les autres », l'absence de vie privée, toujours préjudiciable car elle engendre la rancoeur et le lent désespoir; le manque d'assise sociale ou, simplement, d'assurance: pas de point d'appui en soi.

= la rencontre et les amours de hasard, sans suite.

I

INCENDIE

= destruction radicale, souvent avec des conséquences lointaines bénéfiques; la fin des entraves psychiques, telles que haine, procès en cours, harcèlement par les créanciers.

Si c'est sa maison d'enfance qui brûle en rêve: le passé s'annulera dans l'esprit et cessera d'être un poids mort, car il engendrait des pensées nostalgiques, entrave au dynamisme. La cité en flamme: fin d'une position sociale, échec dans les ambitions ou renoncement. Le monde en flamme: mythomanie apocalyptique, c'est-à-dire manie du prophétisme négatif, inspiré en réalité, non par Dieu, mais par les échecs personnels, la misanthropie, l'orgueil ou une névrose de persécution. Lit en flamme: fièvre en perspective, au propre ou au figuré, ou la fin d'une liaison passionnée; toutefois, si cet incendie très privé ne consume pas le lit, le symbole pourra s'interpréter en sens inverse: les flammes de l'érotisme; si le lit disparaît, il y aura en tout cas disparition du partenaire habituel. Le feu aux vêtements: destruction de la personnalité par dépression nerveuse, avec lente reconstruction de celle-ci; en plus grave, névrose; en très grave; schizophrénie.

INCESTE

= rêver d'inceste, c'est rêver que l'on fait l'amour en violant un **tabou** naturel, c'est-à-dire une loi de l'instinct qui veut empêcher la naissance d'un enfant au sang appauvri. Des civilisations punirent l'inceste de mort pour cette raison.

Physiologiquement, ce thème trahit la perte de l'instinct, prélude à la dégénérescence. Il hante les rêves et la mythologie des races épuisées. Chez les peuples qui ont régressé au stade naturiste (le stade, dit « primitif »), l'inceste donne même lieu à un rite sociologique douteux, à un sacrilège sacralisé...

En prétendant que tout adolescent rêve secrètement de violer sa mère et que l'adolescente est, de son côté, sexuellement attirée par son père, Freud a imprudemment généralisé une tendance isolée, très exceptionnelle, peut-être personnelle! Un être sain ne rêve jamais d'accomplir l'inceste. Le thème n'en demeure pas moins assez fréquent; mais il signifie tout autre chose:

= le désir de grandir, impérieux chez les enfants, même en très bas âge, d'égaler en taille papa ou maman; le désir de devenir psychiquement adulte en harmonisant les instincts que la puberté affole et qui exaltent alors en soi l'**ombre,** c'est-à-dire le côté caricatural de nous-même.

= la volonté bien arrêtée de braver un interdit ou tabou social ou politique. Voir, dans la préface, le rêve de César. « Violer » père ou mère signifiera l'ambition intense, forcenée; et la mère violée symbolisera le milieu social dans lequel le rêveur désire, peut-être inconsciemment, entrer.

J

JAUNE

= la lumière solaire, la chaleur qui sèche les miasmes; par analogie, la lumière de l'idéal ou de la spiritualité qui dissout les cauchemars, les superstitions, les illusions.

= le perfectionnement spirituel ou moral, par allusion au jaune d'**or**, couleur du métal parfait; en banal, le perfectionnement matériel, la prospérité.

Le nain jaune est un jeu qui multiplie la mise du gagnant.

Les rêves sur fond jaune sont toujours de bon augure, pour la fortune, la santé, le moral. Une femme en robe jaune: l'âme en évolution ou une femme extérieure, ainsi caractérisée parce que son influence affine le rêveur; il peut s'agir aussi d'une femme plus évoluée ou d'un milieu social élevé.

JOUER aux CARTES, en REVE

= être sur le point d'engager son sort, sa situation, sa réputation ou son bonheur dans une suite de transactions auxquelles on aura tendance à ne pas accorder de prime abord la portée qu'elle revêtiront par la suite.

Voir **cartes.**

JOUER d'un INSTRUMENT à VENT en REVE

= voir **création.**

JOUER du PIANO en REVE

= voir **création.**

JOUER du THEATRE en REVE

= voir **création** et **théâtre.**

JOURNAL

= nouvelle importante qui concernera le rêveur, directement ou non, et dont il aura connaissance par texte imprimé ou par une rumeur — autre forme du journal!

= l'annonce qu'il va être parlé de lui en public.

Ce symbole est souvent une sorte de mise en garde de notre inconscient: nous n'attachons pas assez d'importance à ce qui se passe autour de nous, et cela pourrait éventuellement se retourner contre nous. Le rêve du journal hante les gens qui ne votent pas.

= le manque de communicabilité, qu'il importe de combler. Les échanges humains, symbolisés par le journal, aèrent le psychisme.

JUMEAUX

= rarement prémonitoire, quant à une naissance, plutôt symbolique.

Ce thème rejoint celui, astrologique, des Gémeaux: le lien psychique ou magnétique entre deux êtres, impossible à rompre sans péril, qu'il s'agisse d'amour, même homosexuel, d'amitié ou, au contraire, de haine ou de concurrence. La haine est aussi un lien!
Si, en rêve, les jumeaux se regardent: l'annonce d'une amitié ou d'une complicité durables, exclusives. S'ils sont dos à dos: la rivalité. S'ils sont parallèles, tournés vers une même direction: « jumelage » télépathique, donc à distance.

= le présage d'une création en double (deux magasins de même genre, par exemple), ou le conseil de dédoubler un projet en cours, pour la raison qu'il sera alors moins vulnérable.

= parfois — la double personnalité, la versatilité d'un être qui semble contenir deux caractères opposés.

En ce cas, les jumeaux indiqueront au rêveur qu'il affiche une personnalité qui n'est pas sa personnalité profonde et qui déçoit l'entourage.

KERMESSE

= la joie un peu fruste, mais saine, la détente brève, car une kermesse ne dure pas.

Ce thème sera souvent prémonitoire; il annoncera de courtes vacances en milieu campagnard ou une sortie en compagnie de gens droits, simples et joyeux, ou encore un banquet de famille.

= le conseil de se revitaliser, surtout psychiquement, en s'immergeant brièvement dans un milieu plus populaire, plus près de la nature brute.

L

LABOURER

= faire l'amour.

Ce thème peut aussi traduire, pour l'homme, un impérieux désir charnel inavoué, car contrarié par l'**inhibition** ou la misogynie. En ce cas, le contexte du rêve indiquera des obstacles: terre trop dure, soc tordu ou brisé. Si le rêveur se voit, de surcroît, semant: fécondation probable.

= creuser un problème, avec le conseil de le faire.

= le conseil de se stabiliser, de fonder un foyer ou une entreprise à soi.

Voir **creuser.**

LABYRINTHE

= symbole architectural de l'intestin et, aussi, des méandres du cerveau. Voir aussi **manège.**

Rêver que l'on erre au sein d'un labyrinthe de couloirs et d'escaliers ne menant nulle part signifie que l'on est en train de s'épuiser en pensées, soucis ou démarches stériles, sans point d'impact avec la vie réelle. Beaucoup d'étudiants, obsédés politiques, rêvent de labyrinthe!

LAC

= l'âme secrète, isolée de l'âme manifestée, le jardin intérieur que ne troublent jamais les influences venues du dehors.

= l'idéal personnel ou le moi des profondeurs (le **double**) qui ne participe pas à l'existence banale, mais en est le témoin, voire l'arbitre secret.

Sur le plan extérieur: le besoin d'isolement, de retrait de la vie fébrile, ou l'annonce d'un voyage en ce sens.

LAIT

= la nourriture sous toute forme (puisque le lait contient tous les principes alimentaires), le remède (le lait en est un).

Rêver que l'on boit du lait annoncera que les soucis matériels ou de santé vont se résoudre. Si le lait est aigre: cette lutte pour la vie ou la survie ne se fera pas sans amertume.

= la sensualité, l'érotisme, l'annonce d'une liaison.

Cette seconde signification, souvent confirmée, doit se relier à la tendre jouissance que le bébé ressent en tétant sa mère.

LAPIN

= fécondité, multiplicité.

Par son extraordinaire fécondité, le lapin a mis parfois en question, en Australie par exemple, l'équilibre biologique. Pour cela, rêver de lapin peut signifier grossesse non souhaitée. Par extension de sens: fécondité en affaires, succès commercial, avec pour rançon des soucis nouveaux et la fébrilité.

LARMES

= deux sens divergents:

= chagrin en perspective, mais libératoire. Les larmes soulagent.

Pleurer en rêve s'interprète en ce sens. Les larmes annoncent une coupure affective sur laquelle on ne reviendra pas. Paradoxalement, elles peuvent aussi être le présage d'une guérison pour le malade, d'un soulagement. Voir en rêve une femme en deuil et en pleur est l'allusion aux pleureuses antiques qui figuraient dans les enterrements et y mimaient la douleur, de façon spectaculaire; il y aura deuil, rupture ou départ d'un être cher; à moins qu'il ne s'agisse de la mort d'un amour. Les larmes de sang: calvaire moral à gravir.

= même sens que **pluie**, c'est-à-dire fertilité, chance.

Au Mexique ancien existait une déesse qui était censée « pleurer les larmes de l'abondance ».

LION

= la majesté qui impressionne et éloigne; le courage spectaculaire.

Rêver de lion en liberté: l'appréhension avant une rencontre de personnage important. Lion en cage: le personnage qui en impose, bluffe... Lionne: la femme de prestige, de caractère noble, mais qu'il vaut mieux ne pas contrarier; coléreuse, aimant la vengeance, il vaut mieux faire vibrer la corde sentimentale (les « lionnes » sont des femmes mal aimées, donc frustrées).

LIT

= le corps allongé, la passivité, le sommeil, l'inconscience.

Se voir allongé dans un lit, dénoncera une certaine léthargie psychique, sorte de paralysie intérieure, d'où découlera un mauvais repos; au lieu de se détendre au sein d'une vie parallèle, surréelle, qui est celle du rêve, l'être demeure rivé à son corps, même endormi, accablé par des rêves lourds, digestifs, sans portée libératoire. Se voir dans un autre lit: c'est l'effet d'un dédoublement fictif, l'indice d'un désir de fuite hors de son foyer ou du désir de rejoindre quelqu'un en rêve, faute de pouvoir le faire autrement. Rêver que l'on transporte son lit: tendance au somnambulisme; le lit = le corps. Découvrir une autre personne dans son lit: s'il s'agit d'une personne de sexe opposé, ce rêve traduira un désir inavoué; en plus dramatique, l'indice d'une obsession suspecte, d'un vol d'énergie vitale par osmose (phénomène assez courant) et par suggestion, ou d'un vol tout court, sous une forme ou sous une autre. Pour ce qui est du « vol surréel », précisons que, durant le sommeil, il arrive en effet que le psychisme se fluidifie, au point de pouvoir s'épandre sur autrui, d'y puiser de l'énergie ou d'en donner: le cas de la mère qui enveloppe psychiquement son enfant malade et le « nourrit » de sa propre vitalité, en dormant. Le lit à colonnes, à baldaquin, trahira un romantisme qui n'est pas toujours de bon aloi, un peu ridicule et hautain, avec le goût morbide des belles choses mortes; pour un acteur ou une actrice, un tel symbole, positif, pourra annoncer un rôle dans une pièce ou un film d'époque. Lit défait: érotisme fébrile. Lit de fer: tendance à l'ascétisme, sincère ou affecté; physiologiquement, ce symbole mettra en garde contre un amaigrissement suspect.

LIVRE

= comme la **bibliothèque**, il symbolise la mémoire, la culture, la mentalité.

Lire en rêve un livre neuf, non découpé: on va découvrir un nouveau centre d'intérêt, sans lien avec la culture acquise ou avec les anciennes activités; renouvellement de la mentalité. Un livre usagé: le conseil de s'appuyer sur la culture bien assise, consacrée par les générations, sur l'expérience. Livre d'enfant: culture infantile mentalité prélogique du niveau des bandes dessinées, à faire évoluer. Découvrir qu'il manque des pages ou qu'on lit un tome qui n'est pas le tome un: culture pleine de lacunes ou lacunes dans la recherche, quelle que soit celle-ci.

= rarement, le livre aura une portée sacrale: la révélation, la découverte de quelque chose de bouleversant, par un prochain rêve, une lecture ou une rencontre; la fatalité, la conséquence de causes déjà fixées, irrévocable donc.

Le livre ainsi compris sera l'allusion aux livres sacrés des religions, tous livres du destin, ou au livre que la Papesse des Tarots tient sur ses genoux.

LOTERIE

= l'inattendu, l'événement de hasard heureux.

Gagner à la loterie, en rêve, sera parfois directement prémonitoire; on gagnera aux courses ou autrement. Plus souvent, l'annonce d'un coup de chance dans la destinée.

LUNE

= elle influence le sommeil et le rêve; certaines personnes dorment mal en pleine lune ou en lune noire; les noctambules rêvent volontiers de la lune parce qu'elle est leur soleil.

Voir en rêve la pleine lune: exaltation brève car la pleine lune dure peu, plénitude de joie proche, mais dans l'intimité ou le secret de la nuit, érotisation saine, enthousiasme sans lendemain — la lune n'étant que lumière réfléchie, gloire de **vedette.** Voir la lune noire: exaltation en soi de l'**ombre** ou de la **névrose**; ne pas prendre, dans l'immédiat, de décision en quoi que ce soit; les choses n'aboutiraient pas ou aboutiraient à l'absurde ou contre soi; on subit une influence malsaine, on est dans un mauvais courant; conflit en vue, avec des personnes violentes ou perverses. Voir la nouvelle lune est très bénéfique: elle figure la double corne de la déesse Isis qui fait fuir les démons ou les dissout en soi; fin d'une période d'angoisse, de soucis, de fièvre. Lune décroissante: déclin de la chance, du bonheur, de la gloire, baisse de la vitalité. Nuit sans lune: le désespoir, le sentiment de traverser un désert par manque d'amis ou de travail, la solitude amère.

LUNETTES

= physiologiquement, le conseil d'en porter.

Ce symbole souffre autant d'interprétations divergentes que celui des **yeux.** Rêver d'un visage à lunettes: on est observé, espionné. Changer de lunettes: le conseil de changer son optique, quant à une opinion arrêtée, de voir autrement les choses. Lunettes brisées: accident de la vue possible ou troubles oculaires, ou encore choc en retour à la suite d'une indiscrétion. Lunettes teintées: le conseil de ne pas se livrer, de voiler sa pensée (qui peut se lire dans les yeux) ou celui de protéger sa vue.

M

MAGASIN

= voir **grand magasin** et **boutique**.

MAIN

= main **droite**: l'action extérieure, dynamique; la **gauche**: l'action intérieure, c'est-à-dire la réflexion et l'intuition.

Rêver que l'on se lave les mains: l'annonce que l'on va devoir éclaircir une situation embrouillée ou trouble, par une intervention active et directe. Porter des gants: on agira avec des formes ou par une action voilée, peut-être par personnes interposées. Se promener, mains dans les poches: traverser une affaire en cours, en simple témoin, avec le conseil de ne pas prendre d'initiatives. Serrer une main: le présage d'un accord, d'une alliance. Sentir une main posée sur soi: protection. Voir une main aux ongles sales: il y aura risque d'infection ou, par analogie, une rencontre douteuse. Chercher de la main gauche quelque objet ou fouiller une poche: le conseil d'agir par la réflexion ou l'intrigue, non par l'action directe.

Les mains sont aussi les symboles des pouvoirs psychiques, guérison, magnétisme, notamment lorsqu'elles portent des **bijoux**. Et les mains d'une personne connue, vues en rêve, synthétiseront, mieux encore que dans la réalité, le caractère de celle-ci: doigts aux ongles effilés: cruauté, égoïsme; doigts en serres: avidité; doigts épais: vulgarité; doigts fins, à peau translucide: altruisme, sensibilité...

MAISON

= le corps humain parce qu'il contient la vie comme la maison; par extension, l'ambiance dans laquelle on vit, et aussi la femme, âme de la maison.

Exceptionnellement, la maison symbolisera le psychisme, celui-ci étant une sorte de corps dynamique qui enveloppe le corps de chair.

Rêver que l'on change de maison: déménagement en vue, changement d'ambiance ou de femme. Voir en rêve une maison délabrée: vieillissement, usure organique ou, sur un autre plan, dépression nerveuse, atonie; une maison pimpante aux couleurs vives: érotisation, désir; aux fenêtres brisées ou opaques: aveuglement moral; sans portes: pas de longueur d'onde commune avec l'entourage; dans un jardin: santé; aux tuiles ravagées par l'orage: mentalité bouleversée, crise de conscience ou trouble mental.

MANEGE

= le **labyrinthe** parce que le manège, qu'il s'agisse d'un manège à chevaux vivants ou à chevaux de bois, tourne sur lui-même et ne mène nulle part. Si le symbole entre dans le contexte d'une **kermesse,** son sens s'élargira.

Rêver de manège: démarches en perspective, stérilisantes, au moins déprimantes, peut-être avec l'illusion qu'elles seront positives (car un manège est une illusion, un jeu d'enfant).

Parfois, sens physiologique: la tendance au vertige, à l'évanouissement, avec le conseil de surveiller son état nerveux (surmenage) ou son régime alimentaire: la sous-alimentation peut causer des vertiges en cours de sommeil et ceux-ci s'exprimeront par l'image du manège.

MANTEAU

= la protection, le « piston »; l'avancement, l'accès à une dignité (par allusion aux manteaux de cérémonie).

Se voir en rêve, portant un manteau, peut avoir aussi une signification médicale: la déperdition de chaleur animale, donc de vitalité ou de magnétisme. Ce sera un avertissement: il faudra modifier son régime alimentaire, changer d'ambiance, peut-être de résidence.

Etre revêtu d'un manteau **bleu**: protection « céleste », chance ou période astrologique de chance. **Vert**: aucun souci de santé à se faire; on est en quelque sorte protégé par la nature. **Rouge**: même sens, par allusion à la vitalité sanguine; toutefois, si le manteau rouge devient cause d'embarras dans le geste (trop serré ou trop ample), il y aura l'indication d'un excès de vitalité sanguine, à surveiller. Cette même symbolique des couleurs peut encore signifier l'accès à un don naturel ou à un pouvoir occulte: rouge, le don d'absorber par osmose la vitalité d'autrui, c'est-à-dire l'essence du sang évaporée — don assez répandu qui prolonge santé et jeunesse; rose, celui de « pomper » le fluide érotique inemployé des gens. Un manteau brodé d'argent ou de couleur argent: le don d'attirer l'**argent** ou l'annonce d'une gloire de bon rapport.

MAQUILLAGE

= le **masque de théâtre,** mais vivant; la personnalité hiératisée, idéalisée ou, au contraire, sophistiquée; l'écran protecteur, fictif, qui doit préserver la femme de l'emprise de son milieu mondain, toujours un peu vampirique, dont l'ambiance risque de « boire » son magnétisme.

Les maux de tête survenant après une sortie dans le monde, sont toujours l'indice d'une chute de potentiel d'un tel ordre. Se voir en rêve en train de se maquiller, sous-entendra un conseil: dissimuler son être profond, parler peu de soi, s'abriter derrière une attitude conventionnelle comme derrière un masque; autre interprétation: on va « entrer en scène », comme l'acteur qui se maquille en sa loge; c'est la fin d'une période de stagnation. Un maquillage excessif, théâtral: manque de simplicité, de naturel; on dramatise les incidents de la vie quotidienne ou, au contraire, si le maquillage est ridicule, on les traite avec trop de légèreté; autre sens encore: l'exhibitionnisme érotique, à l'imitation des courtisanes de rue qui se maquillent outrageusement. Un maquillage incomplet: bouche omise, le conseil de la franchise, à propos de la démarche en cours; yeux omis, se fier à son magnétisme, à son charme, à son naturel. Joues glabres de Pierrot: anémie alarmante.

Voir **fards.**

MARCHÉ

= l'alimentation.

Physiologiquement, le conseil impérieux de varier son régime alimentaire, sous peine de déséquilibre organique.

= le mouvement distrayant qui repose l'esprit.

Chez les intellectuels, le rêve insiste fréquemment sur cette nécessité vitale du bain de foule populaire, aussi salutaire qu'un retour à la nature.

Voir **foire.**

MARIAGE

= l'alliance, le pacte.

Si le rêveur est le marié (ou la rêveuse, la mariée), l'annonce d'un mariage ou d'une liaison durable ou, par analogie, d'un accord solide et honnête avec une firme ou entreprise. Voir **noce.**

= l'entrée en religion, soit directe, soit par l'adhésion à une mystique.

= la mort.

En ce cas, le rêveur ou quelqu'un de son entourage (s'il n'est que simple témoin) épousera la mort. Voir **enterrement.**

MARIN

= le désir d'évasion, de fuite, ou l'aventure sans lendemain.

MASQUE

= la dissimulation, l'hypocrisie; l'inflexibilité, car le masque a une expression fixe; parfois, la dureté, par allusion à la matière dure dont est fait le masque.

= physiologiquement: quelque chose qui se fige en soi ou chez un proche: paralysie croissante, cancer en germe, mort proche.

MASQUE de CARNAVAL

= hilare, grotesque, caricatural, ce symbole exprime le côté caricatural que tout être porte caché en lui-même, dans son inconscient.

Les anciennes fêtes de carnaval avaient pour rôle de décompresser une fois l'an cette part ingrate de notre âme que l'éducation s'efforce de dissimuler le mieux possible. La tradition populaire la nommait très justement l'**ombre**: notre zone de ténèbres intérieures où grouillent nos démons intimes... L'ivresse par l'alcool ou le vin, ajoutée à l'humour trivial, désamorce l'ombre. Et, jadis, sous un masque de carnaval rarement choisi au hasard, le travesti laissait son ombre s'exprimer en pleine liberté, sous l'anonymat!

L'homme qui se prend trop au sérieux dans sa fonction sociale, rêvera volontiers, soit de masque de carnaval, soit d'une vedette du cinéma burlesque: il comprime trop son ombre; il a besoin de la défouler quelque peu par l'humour, fût-il trivial.

MASQUE de THEATRE

= hiératique, d'expression figée, il exprime la nature profonde, inchangeable, d'un être — que ce soit en bien ou en mal.

Entrevoir en cliché fugitif un masque de théâtre ou en rêver, signifiera le conflit avec soi-même. L'être n'évolue plus en harmonie avec sa nature secrète: il se trahit. Cette nature enfouie ou « jardin secret » qui double en quelque sorte le moi, l'ésotérisme antique la nommait fort opportunément notre **double.** Détaché de toute fébrilité, le double n'est conditionné que par la fatalité astrologique. Les Egyptiens disaient: « Je suis heureux quand mon double est avec moi » — quand je vis en harmonie avec ma nature profonde.

MATCH

= la compétition dans l'honneur.

Si, en rêve, on ne fait qu'assister à un match, c'est qu'on ne jouera qu'un rôle de témoin en une affaire, un procès, par exemple. Si l'on fait fonction d'arbître, on aura un rôle d'examinateur dans un concours, de juré au tribunal ou l'équivalent. Si l'on se voit jouer, on sera évidemment sur la sellette; le rêve conseillera l'auto-discipline (comme dans un match) et le respect des règles de courtoisie — à moins que le match ne dégénère, au cours du rêve, en bagarre, indiquant ainsi au dormeur que son adversaire ne sera pas loyal jusqu'au bout.

MESSE

= la pleine harmonie entre l'inconscient et le conscient, entre l'âme profonde et le **moi** (si le rêveur est catholique ou orthodoxe) — car la messe est un lien entre Dieu et l'homme.

Assister à la messe, en rêve, sera donc présage d'apaisement, de réconciliation avec soi-même, voire de guérison. Ce thème pourra aussi indiquer pour le rêveur son admission proche dans une société ou secte de caractère religieux.

METRO

= la vie secrète, souterraine, en marge (celle des bas-fonds par exemple); sur le plan physiologique = les intestins.

Rêver du métro, symbolise le repli sur les forces souterraines, instinctives, non par fuite de la réalité, mais pour y retremper son dynamisme usé. Rêver que l'on rencontre dans le métro une personne de sa connaissance est l'avertissement que celle-ci mène double vie, peut-être sexuellement, ou qu'elle a un lien avec un milieu inavouable.

MIROIR

= au sens négatif: **narcissisme.** Positivement, ce symbole annonce une révélation proche, concernant le rêveur, à propos de quelque chose qu'il ignore mais le concerne, ou à propos d'une facette de lui-même qu'il négligeait ou ne voulait pas voir; ou une révélation concernant l'entourage, bonne ou mauvaise, car le miroir permet de voir derrière soi.

Contrairement à la superstition populaire, briser un miroir ne signifie nullement « sept ans de malheur », si on rêve ce geste; cela marquera que l'on brise une fascination extérieure — car le miroir fascine comme l'oeil hypnotique; ce mauvais charme rompu peut se relier au décès d'un proche dont la présence subjuguait ou paralysait le rêveur. Autre sens: la fin d'une illusion, car un miroir ne montre que des reflets, donc des illusions, en un sens.

Rêver de miroir voilé est interprété dans le peuple comme l'annonce d'un décès, par allusion à une vieille pratique: on voilait jadis le miroir de la chambre du décédé parce qu'on identifiait le miroir à une « porte », ouverte sur le monde des fantômes; il s'agissait d'empêcher le cadavre d'attirer vers la maison, par affinité et à travers le miroir, les fantômes du cimetière. Toutefois, le thème du miroir voilé peut indiquer que le dormeur va être libéré de l'emprise d'un mort — le cas de tant de gens, rivés au cimetière par le décès d'un être aimé et qui, en fait, ne vivent plus...

MOMIE

= la vraie personnalité, enfouie dans l'inconscient et non encore réveillée.

Rêver de momie prouve donc que l'être ne vit pas selon sa vraie nature, qu'il est sous influence étrangère ou que sa personnalité n'est pour l'instant que le reflet du milieu ambiant.

Autre sens: la proche découverte d'un secret ou d'un don en soi, lié peut-être aux sciences antiques, égyptiennes par exemple.

En sens néfaste: l'être est possédé par une ombre de cimetière, c'est-à-dire par un résidu psychique qui boit son énergie et celle de son entourage.

MONNAIE

= plusieurs sens parallèles. Voir aussi **argent, or, chèque.**

= le produit du travail, du sien propre ou de la collectivité. En ce sens, voler de l'argent = voler le travail des autres.

= le « sang nourricier » qui circule au sein de la collectivité humaine. Sous cette optique, celui qui accapare l'argent =un vampire...

= l'indispensable nourriture, sous toute forme, physique, affective, mentale et mystique. Ainsi, le malade qui rêve qu'il touche de l'argent va-t-il rencontrer le médecin qui saura le soulager.

= l'érotisme, car l'argent procure, un peu comme une maîtresse ou un amant, le plein épanouissement des désirs. En ce cas, rêver que l'on touche de l'argent annoncera une liaison.

= le sperme et la force érotique mâle, spécialement. Bien des femmes éprouvent une jouissance à recevoir et dépenser l'argent de leur mari ou amant!

= l'« engrais » qui fait fructifier le projet que l'on sème dans le social comme dans une terre.

= la drogue qui excite, endort ou tisse un climat d'irréalité, en tant que clef du luxe mercantile. Les êtres tarés, parasitaires, ont les mêmes réactions quand ils sont démunis, que les drogués « en manque ».

= le lien invisible qui paralyse: recevoir ou donner de l'argent sans contre-partie, lie psychiquement; c'est un genre d'envoûtement naturel dont il n'est possible de se libérer que par l'échange.

Ce n'est qu'en fonction de la nature du rêveur et de son souci de l'heure qu'il sera possible de déterminer la portée de l'argent, vu, reçu, donné ou perdu en rêve.

MONTRE

= même sens que **pendule,** en moins tragique et en plus individuel; une pendule est familiale, une montre, individuelle.

Porter en rêve une montre: si c'est au bras **droit,** il faudra y voir le conseil de prendre l'initiative dans la conduite des affaires en litige; si c'est au bras **gauche,** le rêve conseillera au contraire de se conduire plus passivement, cela afin de ne pas contrarier les faits de hasard ou les fautes de l'adversaire. Montre brisée: plan qui échoue, idylle qui s'achève par rupture nette (la montre joue en effet un rôle dans les rendez-vous). Montre qui stoppe son mouvement: lassitude.

MORT

= en tant que prémonition (pour soi ou autrui), ce symbole revêt des apparences énigmatiques, qui, presque toujours, voilent soigneusement leur objet, celui-ci ne se trahissant qu'après coup, c'est-à-dire après l'événement réel — un décès. Si le rêve hésite à avertir franchement le dormeur, c'est sans doute pour ne pas alarmer le **moi** qui en serait traumatisé ou parce que la prémonition de la mort est une sorte de **tabou** naturel. Seules, les personnes très évoluées, dominant leurs émotions, reçoivent des avertissements en clair.

Par ailleurs, dans l'esprit mystérieux de la nature, mort ne signifie pas néant, mais transposition de la conscience, métamorphose, changement de longueur d'ondes — l'être continuant de vivre au sein d'une autre dimension; du moins, est-ce là une croyance universelle. Un symbole funèbre pourra donc indiquer, par analogie, une mutation dans la destinée, dans l'affectif, dans la mentalité, et non la mort.

Principaux symboles, susceptibles d'être des présages funèbres:

— les couleurs **blanche** et **noire**;

— le **cercueil**, le **cimetière**, la **croix**, le **tombeau** ou d'autres symboles, pris au decorum du cimetière; le Macabré, c'est-à-dire la mort personnalisée, à faux ou à tambour (par allusion aux danses macabres, telles que les rêvait le XVème siècle, où le Macabré rythmait au tambour la danse des morts).

— la silhouette dans le **miroir**, à l'image de la personne qui va mourir, le miroir symbolisant l'« autre côté »...

— le **soleil** couchant, les feuilles mortes, la **neige**, l'arbre foudroyé.

— pleurer en rêve, se perdre dans la nature (comme s'y perdra le cadavre), descendre un escalier, entendre scier (comme si on préparait le cercueil), se voir, lisant un télégramme ou recevant celui-ci des mains d'un messager; découvrir une lettre encadrée de noir, assister à un **mariage**, voire le sien propre (rare), perdre une **dent**...

MORTS qui hantent nos rêves

= thème fréquent dont l'interprétation littérale est difficile à accepter.

Nous concevons assez mal, en effet, que les âmes de ceux que nous avons connus soient vouées à errer autour de nous, en s'accrochant à l'un ou à l'autre de leurs anciens parents ou amis. Le bon sens religieux nous fait au contraire admettre comme une évidence que ces êtres vivent maintenant selon une longueur d'ondes sans commune mesure avec la nôtre. Rêver de personnes mortes, c'est donc rêver de l'image d'elles, imprimée dans notre mémoire. Celle-ci est beaucoup plus vaste et sensible que nous croyons: une large part en est devenue inconsciente, quoique non effacée; c'est le cas des souvenirs de la petite enfance, voire (qui sait?) de la vie foetale. Il arrive que, brusquement, des séquences refoulées retombent dans la mémoire consciente, soit en rêve, soit directement. D'un autre côté, il semble démontré que nous enregistrons mieux encore par l'inconscient que par le conscient. Pour cette raison, le rêve peut restituer des silhouettes disparues avec un luxe de détails ahurissant, même des détails très confidentiels que nous n'avions jamais enregistrés consciemment. Une personne qui entend sans vraiment écouter enregistre néanmoins, par son inconscient.

D'autres fois, ces silhouettes de disparus n'ont avec ceux-ci que des rapports d'analogie ou de synonymie. Elles désignent par conséquent d'autres personnes ou quelque aspect caché de nous-même. Il s'agira alors d'un **transfert.**

Cependant, de rares personnes dotées de **médiumnité,** prétendent ressentir, même éveillées, la présence de « décédés ». Peut-être que, peu après la mort, l'être disparu possède encore une longueur d'onde commune avec la nôtre. Mais les décédés anciens ne sauraient guère se manifester que par un simple reflet de leur personnalité éteinte et une telle communication serait assurément sans intérêt.

MOUCHE

= l'agacement, car la mouche tourmente celui qui fait la sieste; par extension, le souci.

Rêver d'une mouche, tombant dans son verre ou son assiette: une joie va être obscurcie par un souci inattendu. Emprisonner des mouches dans une boîte (jeu d'enfant): maîtriser ses soucis. Les écraser: annuler ces soucis à la racine. Mouche verte ou bleue: proximité d'un cadavre, c'est-à-dire annonce d'une mort, ou risque de contamination, au propre (si l'on peut s'exprimer ainsi) ou au figuré; ces mêmes mouches à viande peuvent donc annoncer une mort, une maladie infectieuse ou, par analogie, une faillite ou un scandale qui contamine...

MUSEE

= le secret, le souvenir oublié, la confidence. Voir **momie.**

Traverser en rêve un musée: découvrir le secret d'une personne ou d'une société, soit par surprise, soit par déduction, soit par confidence.

= l'érudition.

C'est le conseil de se cultiver, d'échapper aux formes transitoires de culture (les arts à la mode) et d'accrocher sa force mentale aux formes d'art que le temps a consacrées.

n

NAIN

= la force par les armes de la faiblesse physique: passivité, ruse, ingéniosité, procès, ou par la fascination.

Rêver de nain, c'est recevoir un conseil en ce sens. Pas d'affrontement direct! Le même symbole pourra annoncer la rencontre d'un conseiller efficace, peut-être ambigu, d'un avocat par exemple.

Ce thème donne lieu à superstitions, les uns voyant dans la rencontre d'un nain un mauvais présage, les autres un présage heureux. Il est souvent exact que les nains, à force de vivre repliés sur eux-mêmes, ont acquis une puissance de concentration mentale qui leur donne prise sur le psychisme des gens fébriles.

NAVIRE

= voir **bateau.**

Si l'on rêve de croisière, donc de compagnons de voyage, le symbole sera en rapport avec un milieu social fermé ou un club, sans contact avec la vie réelle. Ce thème trahit parfois une certaine **mythomanie.** Voir **voilier.**

NEIGE

= l'immobilité, la stagnation, la paralysie.

Avec le conseil de ne pas insister, tout effort serait vain, car on ne lutte pas contre la fatalité; il vaut mieux attendre, refaire ses forces en secret (comme la terre en hiver), en vue d'aborder la fin de l'hiver, c'est-à-dire la fin de la stagnation, avec des chances de succès.

= la mort.

NEZ

= l'aspiration vers quelque chose d'abstrait ou de non encore déterminé.

C'est aussi une image onirique très subtile qui dévoile le tempérament secret du dormeur ou, à l'inverse, les types caractériels qu'il va aimanter vers lui en vertu de la loi d'attraction des types contraires. Car ceux-ci s'attirent davantage que les types semblables!

Le nez volumineux, comparable à celui des Mayas des bas-reliefs mexicains, trahit un désir de domination, soit par l'ascendant psychique et la fascination, soit plus prosaïquement par l'argent ou le rang social; crochu: le désir de dépecer, à la manière des oiseaux de proie à becs crochus; aux narines frémissantes: la sensualité en éveil, le désir de jouir d'autrui, l'aspiration au raffinement du luxe; en museau de fouine: l'envie de « fouiner » dans le « linge sale » d'autrui. La comparaison avec becs et museaux et les caractères des animaux en rapport est assez valable...

NID

= le foyer, le refuge, l'ambiance chaleureuse, voire érotique.

Rêver d'un nid dans les arbres: le conseil de garder secrète sa vie privée, de la tenir loin du « sol », c'est-à-dire de l'existence publique. Nid au sol ou nid tombé sans dommage: le conseil opposé — ne pas s'emprisonner dans la vie privée, recevoir chez soi.

Ce thème se mêle volontiers à celui de l'**oeuf**. Rêver que l'on découvre un oeuf dans un nid: grossesse. L'oeuf brisé: accouchement proche. Si du jaune s'en écoule: risque d'accouchement avant terme ou fausse couche.

Dénicher une couvée: la destruction d'un foyer aux dépens des enfants, par adultère ou divorce. Découvrir un nid bien caché: retrouver la trace de quelqu'un que l'on recherche.

NOCE

= assister à un repas de noce, c'est donner son cautionnement dans un accord entre tierces personnes, financier, politique ou d'affaires en général.

Si l'on participe au repas: ce cautionnement sera récompensé par un avantage en nature ou en argent. Voir **mariage**.

NOIR

= l'absence de couleur, de lumière, de vie; la mort puisqu'elle est justement l'absence de vie; mais aussi le sous-sol obscur où germent les racines vives, la terre nourricière, la **cave,** la **grotte,** le ventre maternel, l'utérus.

Tous les rêves de nuit, de sous-sol, de tunnel, sont en rapport avec une période de germination, donc d'attente; ils s'accompagnent nécessairement de ce sentiment d'angoisse et de claustrophobie que l'on ressent dans les souterrains mal éclairés. L'être subit de mystérieuses métamorphoses, un peu comme le foetus dans le ventre maternel.

La femme en noir: sage-femme parce qu'elle tire l'enfant de l'obscurité du ventre maternel; en négatif, femme stérile, c'est-à-dire n'engendrant pas la vie, ou stérilisante parce que, par sa présence ou ses conseils vains, elle épuise le dynamisme de ses « victimes »; l'homme en noir: le notaire, l'employé des pompes funèbres qui s'occupent des biens ou des corps des morts, ou le docteur qui ne guérira pas le malade...

NOURRISSON

= voir **bébé.**

NUDITE

= thème assez fréquent: le rêveur s'aperçoit soudain qu'il est nu dans la rue, à son bureau ou dans un salon. Les interprétations divergent:

= le désir de choquer, l'exhibitionnisme, le goût du scandale; la révolte contre la sclérose de son milieu, contre sa platitude ou son snobisme.

= l'inadaptation à son milieu par manque d'une personnalité adéquate — le vêtement symbolisant celle-ci, c'est-à-dire la « longueur d'ondes » qui nous ajuste à notre entourage; le manque total de personnalité; on se sent nu, vide, parmi les autres.

= la vulnérabilité ou la timidité extrême.

Rêver en ce sens peut annoncer un scandale dont on sera le pivot ou le témoin. Pour l'homme cela indiquera parfois la fin d'une ambivalence sexuelle, la réconciliation avec l'Eternel Féminin, à la suite d'une rencontre, d'un coup de foudre. Pour la femme: voir en rêve une autre femme, nue, sera négatif; il y aura rivalité aiguë avec une femme rayonnante, riche ou puissante.

NUIT

= voir **noir, lune, étoile.**

O

OASIS

= le refuge, le salut, la guérison.

Le rêveur qui se voit atteindre l'oasis verdoyante aux eaux vives, après traversée du **désert:** il va échapper à une oppression, à une mauvaise ambiance, à une persécution; il va retrouver une santé brillante.

= le succès, le gain inattendu (loterie, spéculation), la joie du triomphe.

OEIL, l'oeil unique

= la culpabilité obsédante. Voir **yeux.**

C'est le thème du poème de Victor Hugo: « Et l'oeil était dans la tombe et regardait Caïn... ».

= le rayon qui fatigue ou, à l'inverse, vivifie.

Sous cette optique, rare, l'oeil unique sera symbole d'énergie lunaire négative (absorbante) ou solaire. Il supportera une interprétation médicale: fatigue persistante ou retour proche à la santé.

= la partialité, l'obstination à ne considérer qu'un aspect des problèmes, s'il s'agit du borgne.

= le pirate, l'escroc, par allusion au pirate borgne des romans d'aventure.

En ce cas, l'image trahira, comme par voyance, le caractère louche d'une relation d'affaires.

OEUF

= le germe de la vie, la cellule initiale, l'origine de quelque chose qui sera viable.

Rêver d'oeuf: grossesse ou, au figuré, projet bien au point qui se développera normalement. Oeuf à deux jaunes: jumeaux possibles. Voir **nid.** Omelette: avortement et curetage, s'il s'en dégage une odeur douteuse (celle de la mort); infection biologique, confusion des humeurs, par allusion à la confusion du blanc et du jaune de l'oeuf. Casser un oeuf par accident: échec de la grossesse ou destruction d'un projet.

OMELETTE

= voir **oeuf.**

OR

= voir **monnaie, argent.**

= le métal, dit solaire, parce que son symbolisme se rattache au soleil, l'astre stable, relativement, central et rayonnant, signifie gloire stable, définitive, fortune bien assise.

Rêver de bijoux d'or: élévation publique de bon aloi, sous le signe de la politique saine, de l'art propre ou de la littérature classique; ou élévation spirituelle, mystique, par le yoga, par exemple. Rêver de bibelots d'or, en sa maison: celle-ci deviendra un temple ou le carrefour de gens de puissance ou de gens rayonnants. Rêver de pièces d'or: fortune, au double sens (chance et argent), succès qui enrichit aussi, dans un sens ou dans un autre, autrui. Si l'on tient ces pièces dans sa main: on change en or tout ce qu'on touche; autrement dit, on possède le don des initiatives heureuses qui fructifient.

= la plénitude éblouissante, la richesse qui en impose, au sens moral (la perfection) ou matériel, celle-ci pouvant être toutefois très artificielle.

C'est ainsi que rêver de **dent** en or signifiera perfection extérieure, ne recouvrant qu'un état intérieur de mort ou de non existence. Perdre une dent en or: rompre avec un faux sage ou un riche égoïste; si l'on recueille la couronne de la dent: héritage. Voir **anneau, bijoux.**

ORAGE

= dispute, colère, querelle amoureuse.

Si l'orage est suivi d'une éclaircie ou d'un arc-en-ciel: la réconciliation sera au bout de la colère ou une autre forme de libération, la rupture, par exemple.

OURS en PELUCHE

= le besoin de talisman protecteur, celui-ci jouant pour l'adulte le même rôle que l'ours en peluche pour le bébé: l'objet inanimé dont la présence rassure!

En vérité, il ne s'agit pas en ce cas d'un infantilisme banal. L'enfant opère sur son ours un **transfert;** en lui parlant comme à un compagnon vivant, il s'adresse en réalité et sans le savoir, à son **ombre** — l'obscur reflet de nous-même dont la fonction consiste à nous préserver des cauchemars en protégeant notre âme inconsciente contre les atteintes de l'extérieur.

P

PANTALON

= symbole de virilité; chez la femme, de virilisation exagérée.

Ce phénomène propre à notre temps défavorise la femme sur le plan érotique, tout en l'émancipant sur le plan social; elle n'a plus autant de magnétisme féminin.

L'homme qui, publiquement, perd en rêve son pantalon: peur inavouée de la femme, de l'acte sexuel; ou manque de sex-appeal, avec la rancoeur qui en découlera et le désir malsain de choquer les femmes par compensation. Rêver que l'on passe un pantalon: le conseil de mieux voiler sa vie sexuelle; plus rarement, pour l'homme comme pour la femme, cette allégorie traduira une opération psychique: l'absorption par les jambes, de bas en haut, de l'énergie fluidique qui émane du sol et que les serpents absorbent aussi; très bon signe, car il en résultera une revitalisation intense et un certain pouvoir de charme ou de suggestion — toujours comme pour les serpents.

PANTHERE

= la femme brillante et cruelle dont les blessures se cicatrisent mal.

Sur le plan érotique, la sensuelle pour laquelle l'amant n'est que jouet, instrument, moyen de parvenir.

PARAPLUIE

= la protection contre les intempéries de la vie, ce qu'est par exemple un compte en banque, une rente ou l'assistance d'un personnage riche ou influent.

= c'est aussi l'agressivité en tout genre, surtout stupide, car le parapluie fermé ou ouvert, promené dans la foule, est facteur d'accident stupide.

= en tant que symbole sexuel mâle assez rabelaisien, c'est l'érection et la pénétration: en s'ouvrant, le parapluie enfle, et il est à pointe agressive.

Le sens change, selon que le parapluie est ouvert ou fermé. La femme qui rêvera de parapluie fermé: refus, chez le partenaire convoité, de passer à l'acte. Rêver d'une bonne femme à parapluie signifiera méchanceté, querelle; d'un parapluie offert: aide inattendue, désintéressée, « piston », ou propositions érotiques voilées, adressées à la femme qui rêve; de parapluie **blanc**: aide inefficace ou amour platonique; **rouge**: érotisme virulent.

PARASOL

= timidité, agoraphobie, repli sur soi-même, par analogie entre la crainte de la trop vive lumière solaire et la crainte d'être un point de mire.

= en plus grave, névrose: une sorte d'écran intérieur sépare le dormeur de la joie, son soleil.

Rêver d'une personne à parasol: il s'agira d'un intermédiaire un peu « faux jeton » qui « filtre » les nouvelles.

Chez un Oriental ou un Africain, le parasol prendra éventuellement une signification très différente: élévation, faveur, chance; chez eux, les personnages influents ne se déplaçaient pas, jadis, sans un porteur de parasol.

PARIS

= l'ambition, la gloire, car Paris, cerveau et coeur de la France, consacre les célébrités.

Une rêveuse, quoique parisienne, se voit roulant vers Paris, juchée sur un **vélo** trop petit: ses moyens actuels ne sont pas à la mesure de ses ambitions.

PATISSERIE

= le plaisir, surtout érotique. Voir **gâteaux.**

PEINDRE en REVE

= voir **création.**

PENDULE

= le coeur, à cause de son tic-tac, semblable par sa régularité, aux battements du coeur.

De là, cette croyance parfois vérifiée que la pendule de la maison s'arrête au moment précis de la mort d'un membre de la famille.

= par extension, la fatalité, le caractère inéluctable de la marche du temps, de la loi de causes à effets, du conditionnement humain.

= l'impatience qui gâche tout, car les gens fébriles sont obsédés par leur **montre.**

= l'annonce d'un événement grave, imminent: son heure va sonner.

Pour cette dernière raison et pour la première, rêver de pendule peut annoncer un « arrêt de coeur » chez un proche, en particulier si la pendule de la vision est figée. Pendule folle dont les aiguilles tournent de façon accélérée: dérèglement cardiaque ou mental (les chiffres de la pendule et la complexité de son mécanisme se rapportent parfois au cerveau), ou accélération d'événements déjà en cours. Pendule au verre brisé: accident de la face, des yeux, ou lunettes brisées.

PERLES

= les **dents.** Celles-ci s'agencent circulairement comme les perles et ont le même éclat. Rêver de perle tachée reviendra à se découvrir une dent cariée.

= voir **collier.**

= les « appâts » de la femme, yeux, seins, s'il s'agit de perles naturelles, donc sujettes à la maladie et au vieillissement; yeux et seins ont un éclat comme les perles, magnétique et érotique en leur cas.

Examiner en rêve deux perles ternies s'expliquera en ce sens. Recevoir en cadeau des perles: **narcissisme,** l'être étant fasciné par son propre charme. Examiner une perle unique, énorme: se faire du souci à propos d'un détail anatomique. Voir la perle dans son huître: un kyste en formation, car la perle grossit en parasite comme le kyste. Rêver de perles synthétiques: tout, autour de soi, est en trompe-l'oeil, en contreplaqué, en écorce brillante.

PERROQUET

= l'étourderie, le bavardage inconsidéré, le colportage des confidences, la médisance.

Thème qui est une mise en garde: attention! il faut surveiller ses paroles, ne pas se livrer.

= l'excentricité, par allusion aux couleurs voyantes de l'oiseau.

Le symbole du perroquet peut en effet faire miroir: le rêveur, croyant en imposer par sa tenue, son langage ou sa conduite, ne réussit qu'à se rendre ridicule.

PERSONNALITES (rêver de personnalités)

= thème fréquent.

Le mythomane croira qu'il donne des conseils nocturnes au Pape, au Président de la République, à la Reine d'Angleterre ou à quelque vedette du cinéma ou de la chanson.

= le désir, peut-être inconscient, de parvenir à la notoriété.

PIED

= le lien avec le sol, donc aussi, par analogie, avec le terre-à-terre, le social. Voir **chaussure.**

Boîter en rêve: être mal adapté à sa fonction sociale. Apercevoir un boîteux ou une boîteuse: des propositions concrètes sont en vue, mais « boîteuses », c'est-à-dire non réalistes.

PIERRES PRECIEUSES

= le charme exaltant, fascinateur ou paralysant qui émane d'une personne; ses radiations; plus rarement, les dons occultes: prémonition, double vue, etc.

Certaines pierres précieuses passent pour condenser, sinon des radiations cosmiques (discutable), du moins celles des êtres irradiants qui en ont fait usage longtemps. Vues en rêve, si elles ne sous-entendent pas l'allusion directe à une personne connue ayant possédé la pierre de la vision, elles auront la signification que leur attribue la croyance traditionnelle. Mais l'influence sera à double face, selon que le dormeur se verra porter la pierre ou, au contraire, la verra porter au front, sur la poitrine ou au doigt d'une silhouette onirique. C'est la couleur qui donne la clef du symbolisme, celle-ci caractérisant, croit-on, une énergie cosmique précise.

A noter que les pierres vertes et rouges se ramènent à un même symbolisme, du fait qu'elles sont couleurs biologiques — sève et sang. En Inde, l'émeraude et le rubis ornent la statue de Kâli, déesse du sang...
Voir de face ou à **droite** un personnage arborant une pierre, signifiera être sous influence. La porter soi-même ou voir le personnage à **gauche**, signifiera exercer soi-même cette influence sur autrui, consciemment ou non.

Voir **améthyste, diamant, émeraude, rubis, saphir** et **topaze.**

PILOTE

= physiologiquement, le cerveau ou le coeur.

S'il s'agit d'un pilote d'avion, le symbole ne désignera que le seul cerveau parce que la pensée est synonyme d'élévation.

= plus largement, l'homme ou la femme, instruments de la Providence si l'on veut, qui vont tirer le rêveur d'un marécage de soucis où il s'enlise.

PILOTER en REVE

= prendre les initiatives dans le sens de l'audace.

C'est surtout le conseil de décider par soi-même.

= la volonté de puissance, l'ambition, le désir bien arrêté de s'élever socialement.

Si l'on pilote un avion, l'ambition sera de bon aloi, car il y aura vraiment élévation, au sens noble. S'il ne s'agit que d'une voiture de course: désir de gloire illusoire, même sans noblesse, la voiture de course restant à ras de sol...

PIPE

= symbole sexuel mâle, la virilité, aussi sur le plan caractériel.

La littérature policière a dédoublé la portée du symbole: le flair, la sagacité, la concentration sur une énigme. Rêver d'une pipe qui fume signifiera rêverie, détente ou perplexité.

PLACE PUBLIQUE

= la société, la vie collective, la solidarité qui, de gré ou de force, relie les gens les uns aux autres.

Place déserte: pas de vie sociale, misanthropie ou névrose qui s'interpose entre le rêveur et autrui; place aux rues obstruées: même sens; place de ville morte, en ruine et déserte: **narcissisme,** c'est-à-dire repliement sur soi, refus conscient ou inconscient de la réalité populaire ou contemporaine; place encombrée: la vie sociale du dormeur dévore sa vie privée; place débouchant sur la mer: signification opposée — mer = liberté — équilibre proche entre vie sociale et vie privée; place sans arbre: sécheresse de coeur caractérisant le rêveur dans son stade actuel ou ses relations; place dont le monument central est brisé: perte d'une situation en vue ou perte d'un appui social ou politique — ou écroulement d'une doctrine personnelle, religieuse, philosophique ou politique que symbolisait le monument.

PLAGE

= la frontière entre le réel et le surréel, entre la réalité et le rêve, entre le conscient et l'inconscient, celui-ci symbolisé par la mer car il s'ouvre comme elle sur l'infini; ou la frontière tout court.

Rêver de plage: détente physique en vue ou psychique et mentale; on va se libérer de ses soucis; fin d'une névrose, la névrose étant une prison intérieure qui rive l'être à des idées fixes — et cette interprétation sera plus nette si la plage est ensoleillée (soleil = joie); ou proche voyage à l'étranger. En revanche, le rêve obsessionnel de la promenade en bordure de plage déserte, sous ciel gris ou nocturne, sera maléfique: on se réfugie dans le rêve, on construit en soi une névrose; or, la névrose a pour symptôme essentiel une allergie à la vie; d'où la plage déserte; le ciel nuageux ou nocturne signifiera écran avec la vie, la lumière spirituelle, la joie.

PLUIE

= physiologiquement, le sperme, la fécondation possible, l'acte sexuel sans « étreinte réservée ».

Seul le contexte pourra décider s'il y a fécondation ou non. Voir **grossesse.**

= la fertilité ou, du moins, son signe avant coureur; par analogie, la chance dans les projets en cours de réalisation. Voir **larmes.**

PONT

= le passage.

Sous-entendu: entre deux parties complètement différentes de l'existence (deux rives), entre deux milieux sociaux, entre une profession et une autre, ou entre deux pays.

= parfois, le « piston » qui favorise un passage difficile; ou le succès possible à un examen.

Si le pont présente un mouvement de personnes dans les deux sens, certaines venant donc vers le dormeur: le changement en vue ne sera que provisoire: il y aura retour en arrière. Si le pont inspire le vertige comme un précipice: hésitation en face du changement ou nécessité de prendre des risques. Pont brisé, barré, sans barrières ou sans fin: pas d'issue possible, échec à un examen.

PORTEFEUILLE

= le coeur, parce que l'homme le place dans une poche à cet emplacement-là; par extension, la vitalité, le dynamisme, les moyens de puissance et, bien entendu, l'argent.

= le secret, les affaires personnelles: le portefeuille contient nos papiers d'identité; la confidence que l'on hésite à faire.

Rêver que l'on a perdu son portefeuille ou qu'il est volé: perte de vitalité, d'entrain, de dynamisme, par l'effet des soucis — symbolisés souvent par des voleurs, puisque voleurs d'énergie; — ou perte de puissance par son propre fait ou celui de concurrents; perte de chance.

Les artistes croient que la chance peut se voler. Ce n'est sans doute qu'une superstition; mais ils évitent de parler de leurs projets, même à leurs amis, aussi longtemps que ces projets n'ont pas donné lieu à un commencement de concrétisation. Et beaucoup d'hommes d'affaires évitent d'avoir des relations trop suivies avec des gens malchanceux — un peu comme si celle-ci était contagieuse!

POUBELLE

= voir, **égoût.**

= le souffre-douleur, c'est-à-dire la personne sur laquelle on décharge ses « ordures »: sa hargne, sa mauvaise humeur, voire son sadisme, en somme ses résidus psychiques, ses venins, sous-produits du dynamisme de l'âme.

Les gens trop riches rêvent volontiers de poubelles, d'égoûts et de **WC** — par mauvaise conscience; en accaparant l'argent des foules, autrement dit leur travail, ils subissent aussi le transfert de résidus psychiques collectifs, ces deux ordres de transfert étant solidaires. Pour cette raison, nombre de gens riches vieillissent avant l'âge, se dessèchent, et sont affligés de névroses inguérissables — car pollués psychiquement par un argent qui véhicule le pourrissement.

POULE

= sens multiples et contradictoires:

= la mère qui couve son enfant, au point de lui masquer (de son « aile ») le monde réel.

En ce cas, le symbole concrétisera un conflit latent entre le dormeur et sa mère, ou inversement, avec le conseil de le solutionner par une explication franche.

= la bêtise, la mentalité étroite et vulgaire, le caquettage.

= la « poule », c'est-à-dire la « coureuse », femme légère.

Souvent, de tels rêves donnent le caractère réel de gens (des deux sexes) que l'on fréquente, en sous-entendant l'impossibilité d'en attendre quoi que ce soit de constructif. Si l'on rêve de poule suivie de **poussins:** un accroissement de biens en vue. Poussins écrasés: perte de profit. Poule **noire**: présage considéré jadis comme funeste — décès de femme âgée, rupture ou conflit avec une telle personne. **Blanche**: projet sans résultats ou échec amoureux avec une femme légère.

POULET

= le billet doux.

Jadis, en certains pays méridionaux, les marchands de poulets glissaient sous l'aile du volatile les messages amoureux et les transmettaient ainsi à domicile.

= sous l'influence de l'argot: le policier.

Rêver de « poulets » signifiera pour l'homme ou la femme, habitués à user de mots d'argot, une perquisition ou une arrestation possible.

POURSUITE, rêver que l'on est poursuivi

C'est un thème de puberté fréquent chez la jeune fille, le poursuivant demeurant généralement invisible. Il s'agit, bien sûr, du pressentiment et de l'appréhension de l'acte sexuel.

= la hantise des créanciers, des journalistes et des enquêteurs de tous ordres.

POUSSIERE

= le néant, la **mort,** la stérilité. Voir **crâne**.

Rêver que l'on s'avance dans un tourbillon de poussière: le signe d'une lutte farouche contre un destin contraire, contre l'anéantissement d'une entreprise, contre une maladie mortelle ou contre une personne sans coeur et sans âme. Découvrir une trace dans le **sable** ou la poussière: le succès final, dans une recherche aride ou la découverte d'un secret perdu.

POUSSIN

= voir **bébé.**

= l'éclosion de quelque chose, au figuré: projet qui va naître dans le social. Rarement: une naissance.

PRECIPICE

= le vertige, le somnambulisme.

Il pourra s'agir d'une prédisposition maladive au vertige, à surveiller; ou de la tentation du vertige que procure l'alcool ou la drogue; ou encore de l'ambition un peu forcenée qui donne aussi le vertige. Le rêve sera en ces cas un avertissement: attention aux imprudences physiques! attention aux marchands de rêves opiacés! attention aux décisions trop audacieuses...

= le risque.

Marcher le long d'un précipice aura évidemment ce sens-là. Y tomber: le présage d'un dénouement brusqué, relatif au problème en cours. Y tomber sans mal: tirer avantage de cette conclusion « en pente », après quelques vicissitudes. Y déchirer son habit: y sacrifier une part de sa respectabilité. S'y blesser: angoisse.

PRINTEMPS

= le rajeunissement, le retour à la santé, à l'espoir, l'annonce d'un nouvel amour.

Rêver d'ambiance printanière peut aussi annoncer une sorte de retour en arrière, vers son propre printemps: retrouvailles de gens perdus de vue, réconciliation avec des parents ou amis, réinstallation dans une province ou une maison que l'on avait quittées.

PRISON

= la maladie, car elle entraînera la claustration; l'oppression par une ambiance pesante, celle de la famille, du milieu social ou de la profession.

Physiologiquement, ce thème est parfois tragiquement prémonitoire: quelqu'un va perdre l'usage d'un membre (par accident de voiture, par exemple) ou de l'un des sens (vision, ouïe, parole), ce qui est une façon d'entrer en prison. Pour le jeune homme, ce rêve indiquera simplement l'appréhension du service militaire, dans lequel il ne voit encore qu'une privation de liberté. Entrer en prison pourra signifier aussi contracter un vice, porte d'esclavage.

PUITS

= le vertige, comparable à celui que l'on ressent en se penchant sur le puits.

Ce thème indique parfois un vertige inconscient, indice d'un mauvais sommeil: le rêveur hésite à s'abandonner, à s'endormir profondément, à « faire le saut », par crainte, peut-être, d'un cauchemar.

= la claustrophobie, la crainte de déboucher sur une impasse, au propre ou au figuré — car il est malaisé de sortir d'un puits quand on y est tombé...

Le puits sera alors un thème obsessionnel, traduisant l'hésitation avant une grave décision, la crainte du piège.

= le mystère attractif (l'eau profonde fascine) ou l'assouvissement quasi impossible d'un désir: sans corde et seau, il est difficile de boire au puits.

= la peur inconsciente de la femme (puits = vagin).

Rêver d'un puits sans seau: le désir que l'on cultive restera chimérique. S'il comporte corde et seau: victoire, mais après efforts et démarches. S'il est à sec: déception finale.

PYRAMIDE

= la perfection mathématique, la sagesse sans le sentiment, le mystère.

Thème rare, sauf chez les ésotéristes. Toujours positif, il indique que le rêveur est sur la bonne voie, qu'il suit une ascèse correcte et « rentable » (non illusoire). Si la pyramide a une pointe rouge ou verte: sa recherche spirituelle ou son introspection va se répercuter sur son organisme qui se régénèrera, (**rouge** et **vert** = couleurs biologiques). Voir la pyramide dans le désert, = l'isolement ou le conseil de s'isoler, de se taire.

R

RAT

= souci lancinant qui, rongeant l'âme, va jusqu'à user les forces vives par répercussion; dépérissement; névrose qui vampirise le rêveur, la sienne ou celle de quelqu'un de son entourage. En très grave, le rat est une hallucination d'alcoolique.

= le parasitisme, mais indirect ou déguisé, car le rat ne se rend visible que contraint.

Rêver de rat **blanc**: souci lié à la maladie, peut-être incurable, d'un proche ou de soi-même (cancer), ou à la passion de la drogue, mort lente, qui ronge comme un cancer psychique, ou à quelque autre passion, le jeu par exemple; le déséquilibre mental car il est une forme de désagrégation; blanc = absorption des couleurs ou leur extinction; par analogie, le rat blanc est un facteur symbolique de désagrégation, physique, psychique ou mentale. Rêver de rat **noir**: moins maléfique, mais il peut se rapporter à un souci concernant la vue (noir = obscurité); « cafard » par absence de la joie qui est lumière. Rats multiples: soucis d'argent; s'ils dévorent de la nourriture, difficulté à assurer sa subsistance ou à tenir son rang dans le monde; s'ils dévorent des papiers: obsessions mentales car le papier est le support de la pensée; s'il ne reste finalement rien de ces papiers: fin des obsessions. Des rats mangeant de vieux journaux: fin d'une grave préoccupation reliée au social, d'un procès par exemple. Etre mordu par un rat: traumatisme, scandale, calomnie, c'est-à-dire propagation d'un « virus » qui intoxiquera l'âme du rêveur et, à son détriment, celles de ses relations. Si le sujet rêve qu'un rat lui passe sur le corps: dégoût à la suite d'une révélation qui gravitera autour d'un ennemi à masque d'ami. Voir **souris.**

REGARD

= voir **yeux.**

REPASSER en rêve

= aplanir une difficulté.

C'est un conseil. Ne rien compliquer; chercher à ramener le problème en cours à sa plus simple expression.

= se préparer à reprendre une vie mondaine, sociale, après une période de retrait.

Si l'on repasse des draps ou une chemise de nuit, il s'agira d'érotisme.

= rajeunir, car le repassage efface les « rides » des vêtements.

Le rêve indiquera alors l'efficacité du traitement entrepris.

REPEINDRE en rêve son appartement

= le conseil de changer sa mentalité, de modifie manière de juger des gens et des choses; de r pre avec son ancienne personnalité et de s'en ger une autre.

= celui d'effacer l'imprégnation de l'ambiance d'autres personnes. Certaines voyantes font peindre périodiquement leur salon de récepti

RIDEAU

= l'obstacle intime, non spectaculaire, la séparatio due à un simple malentendu, la coupure san brouille, l'impuissance pour cause d'**inhibition,** l manque de communicabilité, le mystère.

Dans l'antiquité, le rideau s'associait à la célébration des mystères, cérémonies secrètes dont certaines phases devaient être voilées au profane. Le rideau de **théâtre** conserve un reflet de ces antiques mystères car le théâtre était de caractère sacral aux origines les acteurs mimaient les drames de la mythologie, en Egypte et en Grèce.

Voir aussi **voile.**

ROSACE de CATHEDRALE

= le coeur, au sens propre ou figuré.

La rosace distribue à la cathédrale la lumière, sy bole de vie, mais « digérée », c'est-à-dire colorée

versement; de même, le coeur humain distribue-t-il la vie (le sang) à tout le corps, après l'avoir adaptée à l'organisme.

Rêver d'une rosace que traverse le soleil: retour à l'équilibre biologique ou joie intérieure en perspective; plus rarement: spiritualisation de l'être, sérénité pacifiante par l'harmonie avec soi-même.

ROSE

= amour, amitié, spiritualité.

Ouverte: épanouissement; en bouton: mûrissement du sentiment; **rouge**: amour intense; rose: amitié amoureuse; **jaune**: délicatesse, préciosité ou amour spirituel; **blanche**: absence de chaleur, idéalité, parfois symbole de mort.

Une rose fanée: mélancolie, regret stérilisant des amours éteintes ou, même, complaisance morbide pour les amours mortes; la rose fanée est un symbole du cimetière.

ROUGE

= couleur du sang, donc de la vie, avec le **vert**. Symbolise la vitalité, le dynamisme instinctif, parfois agressif, la passion, la colère.

Des rêves obsessionnels sur fond rouge ou à dominante rouge, sont inquiétants. Ils indiquent une dévitalisation lente, c'est-à-dire une perte de vitalité, l'essence du sang s'évaporant comme un alcool. L'angoisse permanente provoque ce résultat.

ROUGE à LEVRES

= la sensualité avide (s'il est vif), une certaine cruauté, un peu de sadisme érotique, le besoin d'« absorber » autrui.

L'intensité atténuée du **rouge** atténuera aussi la valeur du symbole. Trop pâle: anémie, asthénie, mélancolie maladive.

Voir **maquillage.**

ROULOTTE

= l'errance.

Ce thème préfigurera un voyage sans ampleur, mais varié, compliqué dans ses itinéraires. Au figuré, l'entreprise projetée aura les mêmes caractéristiques et sera finalement à demi décevante. Voir **caravane.**

ROUTE

= le voyage en perspective, le départ, l'évasion ou la fuite. Voir **chemin.**

Rêver d'un personnage, marchant sur une route, avec baluchon ou valise: s'il va de **gauche** à **droite,** gros changement pour le dormeur, déménagement, par exemple; s'il va de droite à gauche ou arrive de **face,** arrivée prochaine d'un visiteur, venu de loin, et qui s'installe; sans valise: simple visite.

= le destin personnel.

Se voir, dominant une route ou la survolant: fin d'une période de stagnation; des événements vont se déclencher.

RUBIS

= la vitalité sanguine ou, au contraire, l'évaporation de la force du sang.

= l'exaltation de la passion (« voir rouge », et le rubis est rouge) ou son extinction.

Rêver de personnages portant des pierres rouges est inquiétant; il vaudra mieux changer de milieu ou de résidence, ceux-ci étant vampiriques. Mais se voir muni d'un rubis dénotera une vitalité à toute épreuve.

Voir **pierres précieuses** et **rouge.**

RUCHE

= voir **abeille.**

RUE

= la vie publique, le social, comme la **place publique.**

= physiologiquement, la circulation du sang ou du fluide nerveux; le double sens de la circulation dans la rue symbolise la double portée de la circulation au long des vaisseaux sanguins et des nerfs: afflux des énergies vives (sang rouge, vitalité) et reflux des énergies usées (sang bleu, déchets psychiques); parfois, le vagin.

Rue morne: apathie, mélancolie; trop animée: fièvre, fébrilité; envahie par des étrangers inquiétants ou des rats: infection; sale, aux poubelles non vidées, ou grève de la voierie: même sens; rue étroite qui s'élargit en avenue bien droite ou en place publique: chez la femme enceinte, le signe d'un accouchement sans histoire; l'avenue de style Champs-Elysées: succès public, triomphe; ruelle bordée de pâtisseries: chez une femme, l'annonce de l'orgasme réussi; si le pâtissier refuse les gâteaux ou si la rêveuse n'a pas sur elle d'argent pour les acheter: difficulté en ce sens...

= l'errance propre à celui qui, sans domicile, est rejeté à la rue; l'impuissance à se fixer en un lieu ou à un autre être.

= les amours vulgaires par allusion aux filles du trottoir; la publicité démagogique, car la rue est défigurée par les panneaux-réclame.

Rêver de la rue anonyme ou de la rue rendue disgracieuse par la publicité, c'est faire son auto-procès: on se « prostitue » d'une façon ou d'une autre par goût du lucre ou par veulerie.

S

SABLE

= le terrain mal assuré, stérile et dépourvu de sentier.

Rêver que l'on marche dans le sable est le signe que l'on évolue au hasard ou que l'on agit de même, sans appui réel et sans plan. Mais le contexte, s'il y en a un, atténuera éventuellement le thème. Voir **désert** et **plage.**

SABRE

= l'agressivité de bon aloi (le sabre est noble), le conseil de trancher brutalement un litige, l'offensive sans détour (sauf si le sabre est courbe).

Si le sabre est à **gauche,** le rêveur subira l'agressivité en question. Voir aussi **épée.**

SAC à MAIN

= s'il est porté à **gauche,** côté coeur, même sens que le **portefeuille** masculin; à **droite,** exprimera ce qui est reçu ou pris, car on prend de la main droite.

Le sac à main est, avec les talons hauts et l'agressivité verbale, l'un des symboles de la courtisane de rue. Elle y amasse l'argent du plaisir distribué et les menus cadeaux éventuels. Pour la femme normale, il sera l'indice de son standing: une femme riche, même habillée en blue-jeans, aura un beau sac à main.

= en plus subtil, la personnalité de la femme qu'il résume à sa façon, par son contenu. Rêver de sac trop gonflé: avidité, désirs multiples et divergents, personnalité mal centrée, passive, qui subit toutes les influences — celles-ci symbolisées par les accessoires en surnombre. Sac bien ordonné (une place pour chaque chose et chaque chose à sa place): personnalité virilisée, presque masculine, du style femme d'affaires, avec manque de magnétisme féminin, c'est-à-dire de charme attractif. Ouvrir son sac en rêve et le découvrir en désordre: désordre dans la pensée et la vie affective. Y chercher un objet que l'on ne retrouve pas: étourderie grave; on a commis un impair, perdant ainsi un point d'appui ou un avantage social. Y découvrir un objet inconnu: surprise, bonne ou mauvaise; cet objet est la pensée intéressée de quelqu'un, et cet homme se manifestera avec insistance. Si le sac contient un nécessaire à maquillage un peu excessif: **narcissisme**, manque de personnalité, celle-ci étant tout entière dans le masque de maquillage, avec rien dessous ou peu de chose. Avec un nombre très réduit d'instruments de maquillage: c'est un conseil clair; il faudra apprendre à se mettre en valeur; les artifices ont leur raison d'être et les femmes se sont maquillées de tous temps. Découvrir dans son sac de l'argent en trop: liaison très satisfaisante sur le plan du plaisir, de la joie, du prestige. S'apercevoir d'un manque d'argent: liaison hypocrite ou parasitaire.

SALLE de BAIN

= d'un symbolisme voisin de celui de la **cuisine,** ou complémentaire, et des **WC.**

= l'excrétion, sous toutes ses formes, c'est-à-dire l'évacuation des résidus biologiques. A noter que la sueur matérialise aussi dans le rêve, la notion de résidus psychiques, surtout magnétiques. C'est que le magnétisme personnel, toujours en effervescence, sécrète des résidus qu'il faut évacuer; et il se trouve que l'eau absorbe le magnétisme humain, et pas uniquement, hélas! le magnétisme résiduel. Rêver que l'on paresse dans son bain: on se démagnétise, ce qui revient à se dévitaliser, soit par l'abus effectif des bains, soit parce qu'on se laisse « absorber » par l'entourage. Rêver que l'on se précipite à la salle de bains: le conseil littéral de procéder ainsi: après une soirée mondaine, on risque en effet d'être sclérosé par les résidus psychiques de personnes ambiguës qui se soulagent par transfert sur des organismes réceptifs. Voir **baignoire.**

SANG

= thème onirique à prendre toujours très au sérieux.

= la vitalité, le fluide sanguin ou érotique, la force. Par extension et analogie, = le prestige.

Perdre son sang = perte donc de vitalité ou de prestige, ou vampirisation par l'entourage. Voir **aura.** En banal, le retour des règles chez une femme en souci. Boire du sang = le besoin urgent de se revitaliser, soit par la pharmacopée, soit par un changement d'entourage, de fréquentations. En péjoratif: le conseil de moins « vampiriser » ses satellites de famille ou de travail, de moins les « dévorer », en renonçant à un autoritarisme excessif. Parfois = excès d'agressivité. En Egypte, la déesse Sekhmit à tête de lionne était à la fois déesse du sang, de la médecine et de la guerre — comme la Kâli hindoue!

Symbole voisin: la sève coulant d'un **arbre.** Voir aussi **rouge** et **vert.**

SAPHIR

= d'un symbolisme rassurant parce que de couleur céleste, indique la spiritualisation de la passion et la neutralisation des instincts.

Rêver de saphir ou de turquoise annonce la détente, la joie calme, libératrice, l'affectivité sans faille et sans bassesse, céleste... Le même rêve peut être le présage d'une élévation sociale, hors des mesquineries de basse classe, ou la conquête d'une oasis de paix, par exemple par l'art.

Voir **pierres précieuses** et **bleu.**

SEINS

= thème onirique qui hante bien des hommes, et thème artistique répandu.

En tant que symbole de sensualité: rêver de seins de jeune fille n'indiquera pas uniquement le désir érotique, mais plutôt le besoin de la « soeur élective » qui sera en même temps la confidente, la complice et la maîtresse. Ce rêve prouvera au dormeur qu'il souffre d'**inhibition** et qu'il n'existe à cette situation paralysante qu'un seul remède, sain et naturel: le couple harmonisé.

En tant que symbole maternel: les seins lourds, gonflés de lait, hantent le sommeil et les désirs inconscients des adultes mal adaptés à la lutte pour la vie et qui, pour cela, cultivent la nostalgie de la petite enfance, voire de la pré-existence foetale — chaude, paresseuse... Significations en conséquence: recherche d'un confortable isolement, d'une position parasitaire (comparable à celle du bébé) ou, simplement, d'une ambiance chaleureuse, de préférence auprès d'une femme mûre.

En négatif, le thème des seins juvéniles, rêvé par une femme, se référera au **narcissisme.** Rêver de seins de sorcière, laids et flasques, trahira, chez les deux sexes, la misogynie, c'est-à-dire la haine inavouée de la femme et de la maternité.

SERPENT

= la force psychique concentrée et distribuée par le regard — aveugle et maléfique, si le serpent rampe, positive et bénéfique, s'il se dresse, parce qu'elle est alors évoluée, c'est-à-dire cultivée et affinée par la volonté ou le yoga.

= la haine, pour la raison que le sifflement du reptile semble exprimer la haine.

Rêver d'un serpent sans venin, long, plaqué au sol et déroulant ses anneaux: l'angoisse, l'étouffement, par le fait de la maladie ou d'une présence pesante, ou encore d'un drame interminable, d'un procès par exemple. Le serpent à venin, agressif: menace d'intoxication grave ou d'empoisonnement psychique par l'effet de la méchanceté, de la calomnie ou du scandale. Le serpent qui se mord la queue: entreprise qui sera stérile, sans progression véritable; la fin rejoindra le commencement.

= médicalement: la guérison semi-miraculeuse par un traitement exceptionnel.

Si le serpent est devenu, dès la haute antiquité, symbole de la médecine, c'est parce que des praticiens d'Egypte et de Chine surent utiliser le venin dans le cas d'opérations qui, autrement, auraient causé au malade d'inhumaines souffrances. Ils endormaient par morsure vénimeuse, anesthésiant une moitié ou la totalité du système nerveux. Seuls des médecins hautement qualifiés étaient capables de choisir le serpent et la zone anatomique à mordre, autour de la colonne vertébrale. Le caducée, symbole de la médecine, montre deux serpents entrelacés sur un bâton qui figure la colonne vertébrale.

SLIP

= la pudeur hypocrite parce que le slip féminin voile l'anatomie sans vraiment la cacher; c'est l'érotisme par rapport à la sexualité: le slip excite les sens du mâle à travers son imagination.

L'adolescente rêve volontiers qu'elle perd son slip en public et se retrouve nue sous la robe; cette allégorie s'inspire de la crainte en face des mystères du sexe; parfois, c'est le signe d'un magnétisme érotisant, déjà efficace.

Slip **blanc**: sexualité, un peu « incolore », c'est-à-dire non érotique, ou fausse ingénuité. **Noir**: symbolise la violence querelleuse menant à un orgasme théâtral. **Rose**: l'érotisme sentimental, un peu agaçant pour l'homme. Voir **pantalon.**

SOLEIL

= la joie, la santé, la liberté, la gloire.

Soleil levant: le commencement d'un cycle en ce sens; couchant: la fin, le déclin. Coup de soleil: la gloire ou le succès, mais contrariés par la maladie, le deuil ou la malveillance. Eclipse de soleil: concurrence victorieuse ou diffamation sans remède, sauf si, dans le rêve, le soleil se dégage à nouveau.

= le milieu du jour, de la période de bonheur ou de succès.

SOULIER

= voir **chaussure.**

SOURIS

= la présence discrète et multiple qui fait souci comme, par exemple, celle d'élèves obsédant leur maître.

Rêver de souris n'est pas aussi dramatique que rêver de **rats,** malgré la peur injustifiée que ces aimables petits rongeurs inspirent aux femmes! Symboles de soucis (parce qu'elles sont grises comme les pensées déplaisantes), les souris traduisent des préoccupations que l'imagination grossit.

= l'intrigante qui s'insinue dans la maison, ou l'intrigant, mais dont les dégâts resteront sans portée.

SPHINX

= thème aussi rare que celui de la **pyramide** et de signification voisine: l'énigme que l'on cerne sans la résoudre encore, énigme ésotérique ou simplement policière. Autre sens, plus rare encore: la force vitale, clef de toutes les forces vitales secondaires. Les Anciens croyaient en effet que l'être humain tire l'essentiel de sa vitalité de l'environnement cosmique et, d'abord, du Zodiaque dont ils plaçaient le coeur au signe du Lion (d'où le symbole du Sphinx).

SQUELETTE

= comme pour le **crâne,** de symbolisme complexe, même contradictoire.

En positif: l'architecture, l'armature, le support, concernant tout aussi bien le corps (en ce cas, il symbolisera la santé), le psychisme (alors, symbole de la mentalité, car celle-ci est un moyen de contrôle du psychisme) ou la famille, la maison et, par extension, les entreprises. Rêver de squelette fragile ou incomplet dénoncera une insuffisance en soi ou autour de soi, physiologique ou psychique, à déterminer et compenser. En négatif: la mise en garde contre un état d'obsession qui peut être causé par un deuil ou par une passion dissolvante. Voir **momie.**

T

TABLE

= transaction en cours: c'est autour d'une table que l'on négocie; transformation en soi ou autour de soi: la table est l'élément essentiel d'un laboratoire; ou réunion de famille: la table est placée au coeur de la vie familiale. Rêver de table est toujours le signe avant coureur d'un changement. La table d'hôpital aura en général un sens maléfique: maladie en vue, qui couve, ennui moral. Mais elle pourra aussi annoncer une transformation radicale, presque chirurgicale, en soi, avec des ruptures douloureuses.

TELEPHONE

= la télépathie nocturne (rare en ce sens).

Thème énigmatique. Mais il semble que certaines personnes échangent, sans l'avoir voulu consciemment, des ondes en cours de sommeil, ce qui donne lieu à des mots émis ou perçus, voire à un dialogue, avec la sensation visuelle de téléphoner.

= les liens obsessionnels.

Il arrive que le rêveur prolonge jusque dans le sommeil, de façon mécanistique et aberrante, son activité téléphonique du jour. De telles communications, illusoires, n'ont pas de sens. Elles ne font que traduire le surmenage.

= le besoin de contacts humains.

Le rêveur esseulé se défoule ainsi, vainement.

TEMPETE

= la colère violente, le drame, le choc en retour à une iniquité.

Une tempête en forêt, avec arbre foudroyé: le choc en retour frappera le dormeur ou, s'il est la victime, quelqu'un de son entourage. Une tempête en mer: bouleversement d'ordre passionnel, mais sans explosion et sans geste irréparable.

TETE

= le contraire de **dos**: l'identité, la personnalité.

Autres sens: le sommet donc la victoire, le mental avec le conseil de méditer le problème en cours avant d'agir.

Voir aussi **visage.**

THEATRE

= symbolise un jeu fatal, inéluctable, la trame et les péripéties étant arrêtées d'avance comme dans une pièce de théâtre.

Cette interprétation s'applique par exemple à un procès qui ne laisse au rêveur que peu d'initiative, les rôles devant être assumés par juge et avocats. Elle sera néanmoins très bénéfique au chirurgien qui s'apprête à opérer: tout se déroulera comme prévu. Bénéfique encore, elle le sera pour l'homme ou la femme qui se destine à la haute politique, « théâtre des dieux », c'est-à-dire du destin des nations: il y jouera assurément un rôle. A noter que les grands politiques se passionnent toujours pour le bon théâtre et fréquentent des acteurs en vue.

Rêver que l'on est acteur et que l'on a un trou de mémoire traduit le manque de mâturité pour la fonction proposée; il faut attendre sans renoncer. Etre parmi les spectateurs: on va devenir le témoin passif d'un événement public ou semi-public grave. Des incidents éclatent sur la scène, parmi les acteurs: scandale public. Incidents dans la salle: manifestations de rue, politiques, ou grèves. **Rideau** non levé: événement remis. Rideau qui se baisse avant la fin: événement interrompu. La couleur du rideau donnera toujours la tonalité de la « pièce », à moins que ce ne soit le décor. Rouge: drame public passionnel, colère, violence. Blanc: tempête dans un verre d'eau, querelles de députés ou controverses, ne mordant pas sur la réalité prosaïque. Bleu: même sens à peu près, en plus affectif. Noir: drame caché ou qui se cache ou drame dont il faudra garder le secret.

TIGRE

= la méchanceté, la cruauté, le besoin de proie vivante.

Rêver de tigre constitue parfois l'auto-portrait d'un être qui ne contrôle pas sa force ou sa puissance sociale et cause ainsi des souffrances dont il ne se rend peut-être pas compte. La tigresse: femme fatale, vamp, ou femme avide d'argent et d'héritage, poussant ses victimes au désespoir pour hâter leur fin. Tigre ou tigresse en cage: victoire sur un être méchant.

TOMBEAU

= la **mort.**

Rêver de tombeau peut donc présager un décès ou, par analogie une rupture définitive; il peut être question aussi de l'échec d'un projet ou d'une association. Voir **cimetière.** Si des plantes poussent sur le tombeau: quelque chose de mort ou de moribond va renaître malgré tout: amitié, amour; si le lierre s'accroche à la **croix** ou à la pierre tombale: mauvais signe, le rêveur est prisonnier d'un souvenir et cette obsession stérilise son dynamisme — à moins qu'il ne soit le prisonnier de quelque « mort-vivant », c'est-à-dire d'une personne névrosée, malade, en tout cas négative, car elle l'empêche de vivre vraiment. Voir aussi **momie.**

TOMBER en REVE

= voir **chute.**

TOPAZE

= l'amour, mais évolué en sagesse chaleureuse qui s'attache à l'âme davantage qu'au corps; le don de créer une ambiance de qualité ou de la parfaire; ou celui d'apporter la prospérité.

La topaze est symbole d'alchimie, comme l'or, à cause de sa couleur jaune. Vue en rêve, quel que soit le contexte, la topaze sera toujours d'heureux présage.

Voir **pierres précieuses** et **jaune.**

TOUR

= traduit la volonté de puissance, le désir de s'élever au-dessus de l'anonymat.

Chez l'obsédé des deux sexes, la tour est un symbole sexuel mâle, de caractère sadique, une idée fixe pesant sur l'inconscient du sujet, et le poussant vers l'atonie, le masochisme ou l'ambivalence sexuelle.

Rêver d'une tour médiévale, c'est cultiver la nostalgie d'un passé mort, stérilisant; d'une tour métallique, c'est fonder sa volonté de puissance sur l'abstraction mathématique, au mépris de l'humain; d'une tour en gratte-ciel, c'est construire sa notoriété sur l'artificiel ou le superficiel.

TRAIN

= le destin, la fatalité, en tant que forces que l'on ne maîtrise pas, mais par lesquelles on est concerné — car on ne quitte pas un train en marche.

= une métamorphose que l'on subit et qu'il n'est plus possible d'interrompre, à la suite, par exemple, de la pratique du yoga ou d'un régime; ou la maladie qui progresse ineluctablement. Par extension, l'affaire en cours, impossible à stopper, judiciaire ou commerciale.

Prendre en rêve le train en marche: s'intégrer à un mouvement collectif déjà lancé, à un travail d'équipe; ou prendre tout à coup conscience d'un travail qui s'accomplissait déjà en soi (une grossesse, par exemple), et qu'il est risqué d'interrompre; tirer la sonnette d'alarme du compartiment sous-entend des risques! Rater le train: perdre l'occasion de s'associer à une force collective c'est-à-dire à une entreprise. Mais cette allégorie est souvent bénéfique; cela peut annoncer le contre-temps qui préservera notre liberté en nous évitant une association d'issue douteuse ou une mauvaise compagnie. Tomber du train: accident, choc, émotion violente, rupture, licenciement sans préavis, fin brutale d'une illusion. Changer de train: modifier ses projets d'association ou son régime thérapeutique ou alimentaire. Erreur de destination ou pas de gare d'arrivée: le résultat de l'association sera nul ou différent des prévisions. Tirer la sonnette d'alarme: allégorie à signification érotique, comme aussi parfois le rythme du train qui mime le rythme de l'acte sexuel; la sonnette d'alarme traduit alors la frayeur de la jeune femme vierge.

TROU

= tomber dans un trou, voir **chute**; creuser un trou, voir **creuser.**

Rêver que l'on découvre un trou dans son vêtement: l'annonce d'une mauvaise surprise; un impondérable va remettre en cause l'ordonnance d'un plan — le vêtement résultant de l'ordonnance d'une étoffe (tissage, mise en pièces, couture) pourra symboliser un plan, par analogie.

TUILE

= accident à la tête, intérieur (crise) ou extérieur; par analogie, ennui brusque avec souci lancinant.

Cette interprétation est l'allusion à la chute d'une tuile sur la tête du passant, par jour de grand vent. Si, en rêve, on voit la tuile se briser au sol et s'émietter: pas de conséquence grave, le souci « s'émiettera ». Les tuiles multiples ou entassées: accumulation en chaîne des ennuis.

TUNNEL

= physiologiquement, l'intestin, grêle ou gros, par analogie: le tunnel est dans le ventre de la montagne.

Rêver que l'on traverse un tunnel et que l'on y remarque un coude inattendu et illogique, pourra être le diagnostic d'une hernie en formation. Le rêve du tunnel signalera éventuellement la crise d'appendicite, en l'imageant par exemple par un inutile couloir sans issue, nauséabond, s'ouvrant dans le tunnel.

= physiologiquement, quoique dans un autre ordre d'idée, l'annonce de troubles oculaires, d'une baisse de la vue, car le tunnel est obscur.

= l'épreuve, l'angoisse, la perplexité, la solitude accablante.

L'image traduira un état d'âme, strictement. Et l'issue du tunnel, après traversée, indiquera s'il y a espoir et dans quel sens. Si le tunnel débouche sur des prairies: revitalisation, renaissance; sur une route montante ou en lacet: l'annonce d'un renouveau, mais au prix de l'effort et de détours; sans issue: désespoir par manque d'issue à son problème ou par manque d'appui.

= la crainte d'un accouchement difficile.

En ce cas, le tunnel débouchera sur un décor d'eau vive et d'arbres chargés de fruits ou de blés mûrs. Ce sera alors un bon présage: accouchement normal, à terme.

U

UNIFORME

= le manque d'originalité, de personnalité — voir **costume**; la soumission avec perte totale de libre-arbître; l'automatisation de la mentalité sous l'influence de la profession, du milieu social ou d'une doctrine rigide.

L'uniforme n'est pas forcément lié au costume militaire ou para-militaire; il peut se rapporter à la tenue. De nos jours, les jeunes hommes à chevelure et tenue simili-ouvrière ont une mentalité uniformisée, malgré leur individualisme farouche; ils sont marxistes et mondialistes et vénèrent les mêmes types d'« idoles » de la chanson.

URINER en REVE

= physiologiquement, épurer son sang, avec le conseil d'agir ainsi par une pharmacopée appropriée.

Si la couleur de l'urine n'est pas normale, si elle est rouge, par exemple: intoxication ou usure organique, le sang se mélant à l'urine ou les reins filtrant mal le sang.

Par analogie, épuration psychique; on échappe à une ambiance malsaine ou on la domine.

= l'agressivité exhibitionniste.

Cette interprétation sera valable si, en rêve, on urine en public — à la manière du petit garçon qui tient à choquer les petites filles en exhibant son instrument.

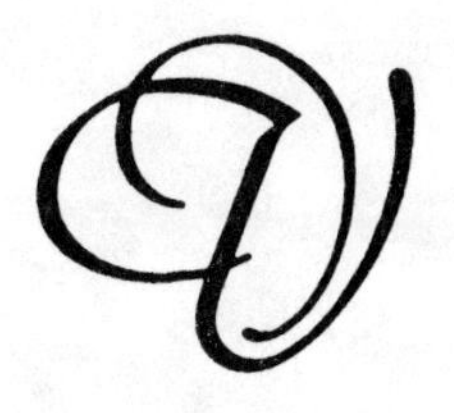

V

VEDETTE

= rêver d'une vedette de cinéma ou de la chanson de charme: le succès, mais passager et de valeur discutable, lié davantage à la mode, à la complaisance ou aux combinaisons, qu'à la valeur authentique; la gloire éphémère de l'étoile filante, le succès sans joie profonde, n'apportant finalement que mauvaise conscience.

Le symbole n'est pas forcément prémonitoire; il peut exprimer, prosaïquement, une volonté de puissance d'ordre démagogique.

VELO

= physiologiquement, peut traduire une sensation de lourdeur ou de fatigue aux jambes, en cours de sommeil.

= l'aide par ses propres moyens, le vélo n'ayant pas de moteur. Voir au mot **Paris** un exemple de rêve contenant dans ce sens le symbole du vélo.

= plus rarement: quelque chose qui progresse en soi et de façon naturelle — par allusion au moteur « naturel » du vélo. Ce sera une guérison sans médicament ou une évolution caractérielle non directement influencée.

= en tant que symbole, fréquent en cours de puberté ou de chasteté: la femme pendant l'acte sexuel.

VERT

= la couleur de la vie (sève) que l'on absorbe dans l'environnement naturel.

Les rêves sur fond de nature verdoyante sont stimulants; ils indiquent surtout que l'organisme, tant physique que psychique, capte normalement les forces de vie ambiantes ou les capte à nouveau, après déficience. Rêver d'un visage aux yeux verts: être sous une influence stimulante; le conseil de maintenir cette influence. En revanche, être obsédé par un visage vert sera négatif: il y a un mauvais métabolisme: le rêveur ne « digère » pas la vitalité qu'il reçoit de la nature ou, au psychique, de son entourage; le vert symbolise la vie à l'état brut; dans nos veines, elle a viré au **rouge.**

VETEMENT

= voir **costume.**

VILLAGE

= la fin des complications, la détente en vue, ou la nostalgie de la simplicité pour l'homme ou la femme fébrile, le regret de l'enfance, celle-ci étant synonyme de vie simple comme le village.

Rêver que l'on retrouve son village ou sa ville natale peut aussi être présage de mort: on retourne à son commencement, le cycle du destin est bouclé! Plus généralement, le thème du village donne le conseil d'un retour au bon sens naturel, à l'alimentation simple et saine, aux amitiés directes.

VIN

= le **sang**, la force vitale.

Le vin rouge symbolisera le sang liquide; le vin blanc ou rosé, la quintessence du sang ou fluide sanguin, c'est-à-dire la vitalité quasi abstraite qui se rapporte au sang.

Rêver de bouteilles de vin vides ou cassées: perte de vitalité, santé à surveiller, anémie latente. Rêver que la bouteille se vide sans qu'on l'ait touchée ou qu'elle est vide alors qu'on la croit pleine: vampirisation par l'entourage...

Ce fait déplaisant n'est pas seulement un thème de film d'épouvante; il se produit discrètement tous les jours, car il existe de nombreux êtres (surtout les névrosés et hypernerveux) qui épuisent les personnes obligées de les supporter, et les dévitalisent, au point de les faire vieillir plus vite. Il faut fuir de tels êtres. En revanche, rêver que l'on boit du vin: revitalisation en cours. Et la personne qui offrira éventuellement, toujours en rêve, ce vin: une présence qui « recharge » l'être dépressif et se laisse vampiriser par amitié ou amour.

VIOLET

= son symbolisme combine ceux de ses composantes, **bleu** et **rouge.**

= la vitalité sanguine ou érotique, mais sublimisée, idéalisée. D'où la valeur mystique du violet.

L'homme qui rêve d'une femme en violet: liaison extra-sexuelle, basée sur une harmonie d'ordre philosophique ou religieuse. L'homme en violet: l'évêque, le prêtre ou maître spirituel qui fait autorité, tant par son dynamisme vital que par sa sagesse. La femme en violet peut du reste être l'équivalent féminin de ce personnage.

VIPERE

= voir **serpent.**

VISAGE

= obsession, surtout amoureuse, ou **narcissisme.**

Neuf fois sur dix, l'image n'est en effet que notre propre reflet, projeté sur écran intérieur; elle signifiera donc bien narcissisme, c'est-à-dire obsession par soi-même. Parfois, ce visage subjectif prendra l'apparence d'une **vedette** (cinéma, chanson). Il s'agira alors d'un **transfert:** le culte que l'on se porte à soi-même est dévié sur une « idole » — si bien nommée en l'occurence!

Toutefois, la vision d'un visage de même sexe n'est pas toujours négative; au lieu de refléter sa propre personnalité, elle pourra refléter le **double du rêveur** (il est de même sexe), c'est-à-dire sa nature cachée et mystérieuse qui vit en dehors du quotidien, sur un autre plan.

Rêver d'un visage de sexe opposé, c'est être confronté, pour l'homme, avec la part féminine de lui-même; car tout homme évolué en possède une — transparente chez l'artiste, caricaturale chez l'homosexuel; pour la femme, avec sa part virile — apparente chez la femme d'affaires. Bien sûr, de telles visions révèlent surtout au dormeur son idéal féminin, à la dormeuse, son idéal masculin, parfois projeté sur l'être aimé ou sur une vedette.

Voir les détails du visage: **front, nez** et **masque, tête.**

VOILE

= l'obstacle illusoire ou réductible.

= physiologiquement, la mauvaise vue (nécessité de lunettes) ou la menace de cataracte, voile sur les yeux, qu'il faudra faire opérer; le poumon voilé, avec la nécessité d'un décrochage et d'un repli sur un préventorium.

= la séduction, le piège érotique: le voile est un excitant comme, autrefois, le voile des femmes arabes.

Rêver d'un visage féminin voilé indiquera qu'on est sous un charme, soit à propos d'une femme, soit à propos d'une énigme que celle-ci symbolisera. Et cette énigme peut résider en soi-même, dans la méconnaissance de ses tendances profondes. Paysage voilé: interprétation physiologique. Toutefois, si une telle image apparaissait en dehors du sommeil, simplement en état de relaxation, yeux fermés, il s'agirait de l'éclosion possible d'un don de voyance; la faculté sera en train de se régler comme un objectif de cinéma. Voir **rideau.**

VOILIER

= l'évasion, le rêve, la poésie, mais aussi l'illusion, le manque de réalisme.

Un jeune homme rêva qu'il voyageait à bord d'un voilier, de port en port, en mer des Caraïbes; survient l'orage; la foudre détruit les voiles. Interprétation: l'homme a adhéré naïvement à une société ésotériste qui l'empêche de vivre réellement et en a fait un mythomane. Une catastrophe devait le libérer de force de cette voie de garage où s'épuisait sa jeunesse.

VOITURE

= voir **auto.**

VOITURE à CHEVAUX

= la force mentale non mécanistique, c'est-à-dire intuitive, naturelle.

Ce symbole, très bénéfique, reflète une bonne santé physique, morale et spirituelle.

= l'indifférence au modernisme, au changement, à la fébrilité, ou le conseil de s'orienter en ce sens.

= le retour au bons sens ancestral, à la sagesse.

Si l'on rêve d'une telle voiture, à deux chevaux de couleurs différentes: désaccord avec soi-même, perplexité; le cheval de **droite** représentera la pensée rationnelle, réfléchie et mûrie, l'autre, l'intuition; il faudra se baser sur le cheval auquel le rêve donne davantage d'importance.

VOLCAN

= l'éruption soudaine d'une énergie en soi (voir **chakra**) pour le pratiquant d'un yoga, ou la colère vengeresse, la révolte, la destruction d'une situation bien assise.

VOLER en REVE

= thème fréquent chez certaines personnes, signifie surmonter ses problèmes, échapper au harcèlement par les soucis qui vampirisaient notre énergie, se dégager de tout cela totalement.

= se libérer de la suggestion par autrui.

Les jours qui suivent de tels rêves apportent généralement de bonnes nouvelles et la sensation d'un immense soulagement. On revit, on se retrouve soi-même. Ce thème a encore un effet dynamique sur le psychisme qui, libéré de l'intoxication due aux soucis, s'ouvre à des éclairs d'intuition qu'il faudra exploiter sans retard.

Pour l'occultiste, = la sortie nocturne de son **double** et ses voyages.

VOLEUR

= voir **cambrioleur.**

VOMIR en REVE

= la réaction contre une intoxication, biologique ou psychique.

Ce phénomène de rejet, loin d'être fictif et cinématographique, traduit une révolte qui mobilise le système nerveux et peut se répercuter sur l'appareil digestif ou respiratoire (sensations d'étouffement). Ce genre de cauchemar se produit souvent après une rencontre avec une personne névrosée dont émane comme un venin psychique (ou un parfum vénéneux) ou par réaction à une mauvaise ambiance familiale, professionnelle ou autre, qui débilite et contre laquelle tout l'être se révolte.

W

WC

= voir **égoût, poubelle.**

= le soulagement, au propre et au figuré.

Rêve fréquent, toujours excellent quant à ses conséquences. Rêver que l'on est aux WC annonce la fin d'une période de « constipation », en général financière: l'« engrais » (l'argent) va « tomber »; dans la superstition populaire, marcher sur un caca signifie que l'on va toucher de l'argent... Autre sens: fin d'une **inhibition,** autre forme, plus noble, de « constipation »; on va rencontrer une âme soeur, on va pouvoir sortir de sa propre prison intérieure. Rêver que l'on erre dans la recherche des WC, vainement: l'impossibilité de se soulager, sous quelque forme que ce soit; inhibition ou névrose: on ne parviendra pas à se libérer de ses problèmes. Si l'on trouve les WC occupés: obstacle au libre épanouissement de son instinct de vie, cet obstacle étant une personne de mauvaise influence. Si, une fois installé aux WC, on s'aperçoit qu'on est entouré par un public: le désir malsain d'étaler ses problèmes intimes, notamment ses tendances ambiguës; ce type de rêve est familier aux écrivains, peintres et chanteurs de charme qui polluent la culture.

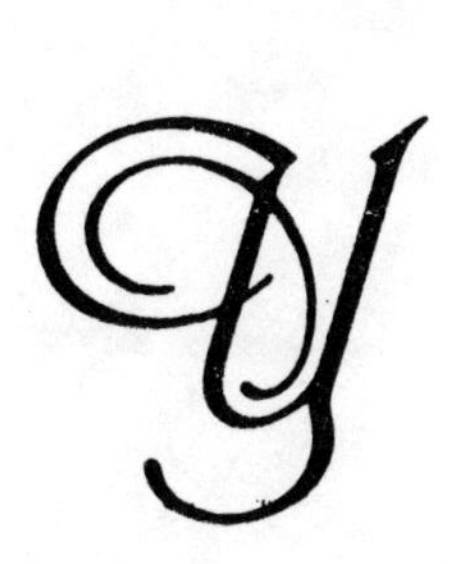

Y

YACHT

= voir **voilier.**

YEUX

= la fascination qui se prolonge jusque dans le sommeil, ou l'auto-fascination par **narcissisme.**

Ce phénomène, courant, entraîne toujours une perte subtile de vitalité; il est le fait des amoureux solitaires, mal accueillis, et des personnes subissant l'ascendant de quelqu'un. Leur mélancolie ou, au contraire, leur fébrilité prouvent la déperdition constante de fluide nerveux. Dans le cas du narcissisme, c'est un **phantasme,** c'est-à-dire une obsession ou image mentale persistante qui tire à soi la force du dormeur.

= l'âme, la vie profonde, secrète, inconsciente, le **double.**

Il peut s'agir, bien sûr, de l'âme d'autrui.

Rêver d'yeux: être tourmenté par un idéal qui ne se formule pas encore. Des yeux **bleus:** amour silencieux, inavoué, sincère. Yeux gris: dûreté, force magnétique de suggestion. **Verts**: le pouvoir attractif des eaux figées où la poussière d'algues voile des profondeurs ambiguës; les yeux verts caractérisent les fées! **Noirs:** la séduction du mystère, de la nuit, de l'inconnu. Des yeux qui louchent: fascination extérieure malsaine. Yeux aveugles: aveuglement à propos d'un complot qui s'étale pourtant avec évidence. Voir **oeil.**

POST-FACE:

Glossaire technologique

A

AURA

= le rayonnement d'une personne, ses radiations. La plupart des gens ressentent l'ambiance propre à quelqu'un et qui dépend de facteurs très complexes. L'aura des malades déprime souvent l'entourage et plus encore celle des névrosés, voire des homosexuels. Inversement, il existe des gens dont l'aura stimule, revitalise, donne la joie. Les voyants parviennent à voir l'aura des autres sous la forme d'une silhouette débordant la silhouette du corps et portant des couleurs d'une signification précise quant à l'état moral ou de santé. Les parties malades du corps impriment dans l'aura des taches sombres ou des stries.

C

CENSURE

= mécanisme de l'inconscient, découvert par Freud, et qui vise à masquer totalement ou à travestir un élément négatif (**complexe, névrose, inhibition**) ou un proche événement dramatique — pour ne pas troubler ou alerter le **moi.** La censure peut aussi annuler un passage de rêve en opérant un trou de mémoire, ou supprimer totalement le souvenir. Les gens qui prétendent ne jamais rêver sont victimes de ce mécanisme. Le cerveau lui-même filtre les rêves au réveil, au nom d'une censure différente, d'ordre platement psychique et biologique, les longueurs d'ondes respectives étant différentes; la ruse des éléments négatifs n'a rien à y voir. Toutes les prémonitions de **mort** ou de **grossesse** passent au tourniquet de la censure pour des raisons évidentes.

CHAKRA

= terme hindou désignant les centres psychiques qui soudent en quelque sorte l'âme au corps. Chez l'homme actuel, ils sont plutôt endormis. Les épreuves de la vie ou la pratique d'un yoga peuvent néanmoins les stimuler. Ce résultat sera d'abord inconscient et ne se traduira que dans le rêve. Puis, l'intéressé ressentira des picotements, des pointes, voire des crampes, aux endroits où les chakram touchent le corps.

Thèmes oniriques essentiels: le **volcan** (= éruption soudaine de chakra et plus spécialement de celui de nos instincts, situé entre sexe et anus); la flèche qui perce le corps à l'emplacement d'un chakra; l'opération de chirurgie touchant par exemple le coeur où se situe un chakra important; la danseuse (voir **danse**), symbole du mouvement de l'énergie; les jumelles ou autre instrument d'optique, le **téléphone,** symboles reliés aux chakram de tête, clefs de la voyance et de la clairaudience.

CLICHÉ

= image rapide comme un instantané de photographie qui passe sur l'écran du front, à l'état de veille. Inspirés par le **double**, ces clichés sont de grande importance — selon l'avis des Tibétains — et relatifs au destin. Mais leur interprétation est malaisée.

COMPLEXE

= malformation du psychisme, semblable à une petite infirmité caractérielle, en tant qu'obstacle à la satisfaction de l'un ou l'autre désir. Le complexe naît, croit-on, d'un **traumatisme**, c'est-à-dire d'un choc, physique (accident) ou moral, dont le souvenir réside généralement dans la première partie, oubliée, de l'enfance. Ramener en mémoire ce souvenir et l'analyser, c'est dissoudre la racine du complexe.

CONSCIENT

= tout ce qui, dans l'âme, relève directement du **moi,** par opposition à l'**inconscient,** échappant à son contrôle. Entre inconscient et conscient, le rêve fait office de pont et de miroir.

D

DOUBLE

= la face cachée, idéale, de nous-même, si profondément enfouie dans l'inconscient, que nous ne faisons que pressentir son existence; le contraire et le contre-poids de l'**ombre**, autre face de nous-même, mais caricaturale.

C'est le ka des anciens Egyptiens; c'est aussi, en un sens, l'ange gardien du christianisme, avec la différence qu'il ne s'agit nullement de quelque chose d'étranger ou de surajouté, mais bien d'un autre niveau d'existence. Pour les Egyptiens, le moi était le complément de la personnalité, protégeant celle-ci. C'est par le double que notre inconscient provoque ces faits de hasard qui nous tirent miraculeusement d'embarras, en période de crise.

Dans le rêve, il revêtira l'apparence d'un être vénérable, de même sexe, peu expansif, concentré, un peu absent, que l'on identifiera à tort avec quelqu'un que l'on a connu et qui nous a marqué positivement: professeur, parrain... En période douloureuse, on rêvera volontiers que l'on chemine en forêt ou dans un jardin non limité (symboles de l'inconscient), avec près de soi ce personnage vénérable et consolateur qui chemine dans la même direction (le même destin); s'il parle peu, ses moindres paroles pèsent comme un oracle. C'est le double qui inspire les rêves très courts du matin, si difficiles à enregistrer parce que l'ombre, toujours brouillonne, s'interpose; ces rêves sont lourds de sens.

Les Egyptiens représentaient en **blanc** le double parce que, justement, il était une projection en quelque sorte spectrale de la personnalité, à mi-chemin de la vie terre-à-terre et du mystérieux au-delà.

DOUBLE ETHERIQUE

= souvent confondu avec l'**ombre** ou même avec le **double** (tout court). L'« aither » était, chez les Grecs, l'essence ou esprit de la matière, soit son état subtil qui conditionne les états denses. Le double éthérique est donc l'armature invisible du corps, chaque organe s'y reflétant. Il inspire tous les rêves de simple portée physiologique. La médecine le nomme « intelligence organique ».

DROITE

= les symboles portés dans la moitié droite de l'écran du rêve se rapportent à peu près toujours à des êtres ou événements extérieurs, c'est-à-dire réels. L'écran droit est la face prémonitoire du rêve. Voir **gauche, sous-sol** et **face.**

F

FACE

= en tant que direction, la face signifie, comme la droite, ce qui arrive de l'extérieur.

Un personnage animé, se présentant de face, pourra donc s'identifier à une personne extérieure et non exclusivement symbolique.

= s'il s'agit d'une silhouette figée ou d'un **visage,** l'interprétation risquera de devenir plus difficile et plus proche de la symbolique de la **gauche.** Le rêveur se verra lui-même, comme en un miroir magique, c'est-à-dire tel qu'il est intérieurement, sur le plan caractériel.

G

GAUCHE

= en général, tous les symboles qui sont portés sur la moitié gauche de l'écran du rêve concernent l'intérieur de l'être ou sa vie secrète, intime, familiale.

Rêver que l'on découvre un trésor dans une chambre à gauche indiquera une découverte en soi, d'ordre spirituel ou psychique (un don) ou, chez une femme, une grossesse. Pour le rêveur masculin, la femme à gauche figurera le côté féminin de lui-même et non une femme extérieure. Et il en est de même, inversement, pour une rêveuse. Pour l'homme, voir un ou plusieurs hommes à gauche sera voir une ou plusieurs facettes de lui-même; et ce sera la même chose pour la femme, dans l'autre sens. Voir aussi **droite.**

I

INCONSCIENT

= terme clef de la science des rêves; ceux-ci, en effet, jaillissent tous de l'inconscient. C'est la zone, sans limite apparente, qui échappe totalement au contrôle du **moi**, du raisonnement, de la conscience. Certains psychologues font une distinction entre le subconscient (= les bas-fonds de l'inconscient où grouillent les instincts et nos démons personnels, avec les **complexes** et les **névroses**) et le supra-conscient, zone lumineuse où germe l'idéal. Mais cette distinction est inutile et vaine, du fait qu'il n'existe pas de ligne de démarcation; nous l'avons donc abandonnée.

Dans l'inconscient s'étage notre existence parallèle et multiple. C'est ainsi qu'une large part de la vie psychique du corps s'y déroule à notre insu — et cette vie secrète concerne les instincts, notamment l'instinct de conservation (avec l'« intelligence organique » qui préside à la réfection et à la multiplication des cellules) et les mécanismes psychiques contrôlant la digestion et les autres fonctions inconscientes. L'existence de l'**ombre,** notre âme instinctive, s'y déroule aussi, de même que celle du **double,** notre âme idéalisée. Bien sûr, entre ces différents étages, il n'y a pas, semble-t-il, d'ascenseur! C'est le **moi** qui se tient au carrefour de l'inconscient et du conscient, qui influence les existences parallèles et subit leur influence en échange. De cette osmose découle le mécanisme du rêve.

INHIBITION

= l'obstacle intérieur qui empêche l'être de s'épanouir dans la joie et le plaisir (comme la **névrose**) et, de surcroît, l'empêche encore de se projeter dans le milieu familial et social. L'être inhibé est un emmuré! Il revêt généralement une nature d'apparence calme, trop calme, mais que tourmentent des contradictions internes sans issue, dont rien ne transpire au dehors, sinon dans la conduite décousue, faussée, fantasque, désagréable. En ne s'épuisant pas à l'usage, les tendances instinctives (surtout érotiques) se corrompent en vinaigre, intoxiquant lentement et sûrement l'être total, jusque dans ses racines vives.

MEDIUMNITE

= le don naturel de capter, par l'instinct ou l'intuition, l'état intérieur d'une personne (ses tendances cachées, ses désirs inconscients, ses soucis) ou de capter une ambiance — jusqu'à pouvoir déceler approximativement les passions ou les drames qui ont concouru à composer cette ambiance. Il y a des médiums qui sont pris de malaise au sein d'une maison où se déroula un crime ou un suicide.

Il existe des formes malsaines de médiumnité, liées à une **névrose.** En ce cas, le médium perçoit les choses de façon déformée, tendancieuse, voire agressive. La médiumnité saine est l'apanage de nombre de cartomanciennes et « voyantes » qui apportent ainsi compréhension et soulagement à leurs consultants. Ce don est plus fréquent chez les femmes.

MOI

= dans le rêve, le moi ou personnalité consciente et concrète, donne lieu à un symbolisme très imagé, au même titre que, par exemple, le **double** et l'**ombre.** En somme, le rêveur se verra éventuellement lui-même sur la scène du rêve, comme s'il s'agissait d'une entité étrangère. Le cas de l'acteur de cinéma qui se voit sur l'écran...

MYTHE

= allégorie dramatique dont les personnages ont une valeur exclusive de symboles; il ne s'agit donc pas d'une histoire vraiment vécue jadis.

Toutes les religions ont le mythe pour clef-de-voûte. En Egypte: le mythe d'Isis et d'Osiris. Il y a des théologiens qui pensent que la vie merveilleuse et tragique du Jésus évangélique est à prendre symboliquement aussi, et non sous l'angle décevant de l'historicité — assez discutable.

L'expérience de Jung a démontré que les rêves basés sur les grands mythes de l'humanité ont toujours des conséquences heureuses: guérison (physique ou psychique), élévation spirituelle, regain de vitalité. Tout se passe comme si le mythe était l'aimant de forces irrationnelles, bénéfiques.

La caricature du mythe est la **mythomanie.**

MYTHOMANIE

= l'obsession par un **mythe** faux, inventé, artificiel, aberrant; c'est une **névrose**, parfois collective.

Généralement, la mythomanie se borne à déformer systématiquement une possible vérité — comme l'actuelle mythomanie des soucoupes volantes ([1]); la plupart des obsédés de ce genre voient ou veulent voir en ces gens venus d'ailleurs des sortes de missionnaires évangéliques de l'espace qui apporteront sur terre paix et amour... Et si c'était le contraire? Il existe aussi une mythomanie des trésors templiers: chaque ruine devient, dans l'imagination de beaucoup, un ancien château templier, avec légende et trésor; or, on n'a jamais retrouvé de trésors templiers — ce qui n'exclut pas leur existence!

Dans les cas individuels, la mythomanie élève au rang de mythe une obsession à laquelle l'intéressé rend une sorte de culte craintif ou agressif. De nombreux jeunes cultivent la mythomanie du « croûlant », c'est-à-dire de l'adulte mûr, dépassé par l'époque... et qui gêne leur libre épanouissement; et des gens de plus en plus nombreux se laissent dévorer par une mythomanie du

---

([1]) Cette affirmation sous la seule responsabilité de l'auteur, l'éditeur, estimant que le problème des OVNIs est l'un des plus graves et des plus importants de tous les temps, comme le pense également le Professeur Claude POHER, ex patron du CNES à Toulouse.

sexe, due à une mauvaise compréhension de Freud; or, ce sexe mythique a fini par voiler leur soleil intérieur, c'est-à-dire le bon sens, l'intuition et l'idéal qui échappent à l'instinct.

n

NARCISSISME

= l'amour immodéré de soi-même, à l'imitation de Narcisse, un personnage de la mythologie qui, se mirant dans une fontaine, tomba amoureux de son reflet. Symboles de cette attitude: le **miroir,** le **visage,** la **vedette.**

Modérée, cette auto-fascination n'est pas une anomalie, mais l'attitude de la plupart des femmes vis-à-vis d'elles-mêmes. La femme doit attirer les regards, ainsi l'a voulu la nature! Elle aura donc pour premier souci de veiller à son charme, que celui-ci soit d'ordre esthétique, magnétique, moral ou intellectuel. Il n'y aura narcissisme maladif qu'à partir du moment où elle sera fascinée, par elle-même, au point de ne plus voir autrui qu'à travers le reflet de sa propre image, chaque être féminin devenant un miroir dans lequel elle se projette inconsciemment, s'y admirant ou s'y critiquant par **transfert.**

Dans les cas extrêmes, l'homme ou la femme narcissique ira jusqu'à s'adorer sur un être de même sexe, avec le désir de possession active ou passive: il y aura alors homosexualité latente ou flagrante.

NEVROSE

= maladie plus ou moins grave du psychisme qui joue comme une seconde personnalité, artificielle, fausse, voire carrément démoniaque, et se substitue à la personnalité normale en période de crise. Son origine est toujours mystérieuse et son traitement difficile.

O

OMBRE

= l'aspect obscur de nous-même, trouble, inquiétant, parfois tragique ou burlesque, selon les personnes.

Redécouverte par Jung, elle était bien connue des Egyptiens qui la représentaient en noir. C'est notre cône d'ombre, un faisceau mal ordonné de tendances louches qui, refoulées par l'éducation, peuvent s'enfler en abcès dans l'inconscient. Personnalisée par le rêve, l'ombre y apparaîtra en caricature du moi, un peu comme un frère ou une soeur vulgaires que l'on ne tient pas à présenter au visiteur. A ce titre, elle aura pour symboles des personnages marginaux: la silhouette floue, tapie dans un angle sombre, le truand, le clochard, le hippy et, pour la femme, l'entremetteuse, la courtisane de trottoir... Plus le moi s'éloignera de la nature, plus l'ombre se fera caricaturale. Un snob rêvera de truands et se passionnera pour les films de truands.

Mais l'ombre n'est pas uniquement péjorative. En tant que part inférieure du psychisme, elle nous relie à la nature inférieure et brute, aux instincts élémentaires, à l'hérédité de sang et de sol, à la masse populaire. Sous cet autre aspect, elle prendra ses symboles dans la masse populaire: le paysan, l'ouvrier et leur contrepartie féminine.

Car l'ombre est de même sexe que le moi. Eviter de la confondre avec le **double** — comme fait la tradition populaire.

P

PHANTASME

= mirage, souvent cauchemardesque, qui obscurcit les rêves.

Toutefois, un cauchemar ne devient phantasme que si, au lieu de se dissoudre au réveil, il se fait persistant, épisodique et finit par peser sur le comportement familial et social de l'intéressé. A noter que nombre d'auteurs de romans policiers, d'épouvante ou de science-fiction se sont soulagés de leurs phantasmes en les analysant dans leurs romans. L'analyse peut en effet décomposer un phantasme.

PRANA

= terme hindou désignant une « électricité solaire » que nous absorbons à faible dose par la respiration, avec l'air. Une captation plus intense exige la stimulation (par un yoga) de certaines glandes endocrines situées à la racine du nez et au fond de la gorge, et celle d'un point d'acupuncture qui est sous le nombril et que les Japonais nomment le point « hara ». L'aspiration intensifiée de prana se traduit par un goût métallique d'électricité et une sorte de mouvement au ventre, sous la peau. L'aspiration de prana ressemble donc à la fois à la respiration des mammifères et à celle des insectes (par le ventre).

Dans le rêve, si l'opération s'effectue en cours de sommeil, elle donnera lieu à des symboles explicatifs: le métal que l'on suce, le bain de soleil et autres symboles solaires.

PREMONITION

= l'intuition directe et instantanée d'un événement qui va survenir et survient effectivement. La prémonition est liée à notre âme profonde (notre **double**) qui vit en fonction d'une autre dimension (la quatrième) et peut ainsi court-circuiter le raisonnement, la déduction logique et les calculs de probabilité. Voir **rêve prémonitoire.**

R

REVE OBSESSIONNEL

= thème revenant périodiquement, toujours identique à lui-même ou avec des variantes de détail.

Ce type de rêve cessera de se projeter, dès que sa racine, c'est-à-dire sa cause, sera mise en évidence. Celle-ci réside dans un **traumatisme,** enfoui dans les souvenirs refoulés (mais non annulés) de la première enfance ou d'un autre âge. Le passage par le coma, lors d'un accident, peut engendrer de tels rêves.

Inversement, le rêve obsessionnel peut préfigurer un événement fatal, inscrit en quelque sorte dans le destin astrologique du rêveur, et qui se produira bon gré, mal gré.

REVE PREMONITOIRE

= assez fréquent, au point que l'on se demande si le vrai but du rêve n'est pas justement d'ordre prémonitoire.

Si l'on admet que les événements de la destinée résultent de causes, forcément préexistantes quoique souvent embrouillées, on peut encore admettre que ces causes se réfléchissent sur notre âme profonde (notre **double**); celle-ci en déduira à sa manière les conséquences possibles, peut-être comme un ordinateur — mais d'un ordinateur qui serait spirituellement vivant! — en projetant ces conséquences sur l'écran du rêve, soit à l'aide de symboles, soit (si les prévisions sont justes) directement. Voir **prémonition.**

S

SOUS-SOL

= sur l'écran du rêve, les symboles placés en dessous de la ligne d'horizon concernent, sauf exception:

= physiologiquement, le « sous-sol » du corps: le ventre; par analogie, il s'agira de ce que l'on cache à autrui, tout à fait comme on cache sa vie digestive et sexuelle — par exemple son côté **ombre,** ses faiblesses, ses manies, ses mensonges et, aussi, ses désirs érotiques ou ses tendances en ce domaine.

= le passé: les villes mortes se sont lentement enterrées. A Rome, il existe de nombreux vestiges de la ville ancienne, encastrés dans la neuve; ils sont toujours (sauf le Colisée) en contre-bas.

T

TABOU

= terme d'origine polynésienne, repris par Freud, puis tombé dans l'usage courant, mais avec son sens originel d'interdiction fondamentale.

Il existe des tabous naturels, tel l'**inceste.** Violer ce genre de tabou, c'est défier la nature, avec le risque certain du choc en retour, immédiat ou lointain. Il y a aussi des tabous religieux et sociaux, sans lien avec la nature, donc moins menaçants. Le prêtre catholique qui manque à la chasteté, viole un tabou religieux. Le noble qui, jadis, épousait une femme non noble, violait un tabou social.

TOTEM

= terme propre aux Peaux-Rouges, repris par la psychanalyse, mais dans un sens dérivé. Chez les Peaux-Rouges et nombre de peuples primitifs, le terme s'applique à un animal, réel ou fabuleux, à un arbre, différent d'un clan à l'autre, et qui devient le symbole de l'ancêtre. Les Romains, dans un esprit voisin, se proclamaient « fils de la louve ». La théorie, aberrante à premier examen, n'a jamais été bien élucidée.

Par extension, le totémisme est devenu le culte abusif et maniaque d'une vedette, de la voiture de course, de la moto, d'une certaine façon de s'habiller (comme s'il s'agissait d'une tenue religieuse) ou d'un quelconque objet. Il y a un totémisme de la chaussure féminine, à talon haut et pointu, chez certains masochistes; un totémisme des dessous féminins chez d'autres obsédés... On a parlé, aussi, d'un totémisme masculin des cheveux longs: on cite le cas d'un jeune homme qui préféra se suicider, plutôt que de couper sa chevelure. D'une manière générale, le totémisme, même chez les Peaux-Rouges, n'est qu'une caricature du sacral.

TRANSE

= état psychique transitoire: le passage de l'état de veille à l'état de sommeil, c'est-à-dire la perte progressive de conscience — ou le passage vers l'état de médiumnité. Dans ce second cas, la transe s'accompagnera d'une fébrilité qui cessera, dès que le médium aura réussi à se détendre sur un plan parallèle, insolite.

TRANSFERT

= mécanisme ou automatisme qui fonctionne à notre insu, soit à l'état de veille, soit en rêve. Il consiste à dévier sur autrui ou sur l'image d'autrui notre côté **ombre**, c'est-à-dire toutes les tendances déplaisantes (à nos yeux) et caricaturales que nous possédons certes, mais sans vouloir nous l'avouer. On en viendra donc à critiquer tel de nos travers ou tel de nos ridicules sur une personne, croyant être objectif; en fait, on fera par transfert son autocritique.

Inversement, se produira aussi un transfert de notre **double**, c'est-à-dire de notre moi idéal. Les traits de haute spiritualité latente ou les qualités que nous possédons sans le savoir, nous les admirerons sur autrui. C'est ainsi qu'un disciple admire en son maître son propre double; le jour où il réalise le mécanisme, le transfert cesse et... il trouve moins admirable le maître en question! Il le voyait subjectivement et non objectivement.

Le **rêve prémonitoire** utilise fréquemment le transfert, peut-être pour ne pas alarmer le dormeur. Une dame rêva d'un accident qui blessait à l'oeil une voisine et un chat; c'est elle-même qui devait subir l'accident et y perdre un oeil...

TRAUMATISME

= blessure, lésion, mais d'ordre moral, dont la répercussion sur le psychisme donne lieu à **complexe, inhibition** ou **névrose.**

TABLE DES MATIÈRES

Achevé d'imprimer
en septembre mil neuf cent quatre-vingt-un
sur les presses de l'Imprimerie Gagné Ltée
Louiseville - Montréal.
Imprimé au Canada